IDOSOS & ESPIRITUALIDADE

O DESPERTAR PARA UMA VIDA SAUDÁVEL, LONGEVA E PLENA

Capa:
Desenho Editorial

Projeto Gráfico:
Estefani Machado

Revisão:
Tatiana Müller
Regina Peixoto

Ícones e imagens de miolo:
Freepik.com.br
Flaticon.com

Dados Internacionais de Catalogação na Publicação (CIP)

```
P856i   Posser, Ligia.
            Idosos e espiritualidade : o despertar para uma vida saudável,
        longeva e plena / Ligia Posser. – Nova Petrópolis : Luz da Serra,
        2021.
            160 p. : 23 cm.

            Inclui bibliografia.
            ISBN 978-65-88484-15-9

            1. Autoajuda - Idosos. 2. Desenvolvimento pessoal. 3.
        Espiritualidade. I. Título.

                                                    CDU 159.947-053.9
```

Índice para catálogo sistemático:

1. Autoajuda : Idosos 159.947-053.9

(Bibliotecária responsável: Sabrina Leal Araujo – CRB 8/10213)

Todos os direitos reservados. Nenhuma parte desta obra pode ser reproduzida ou transmitida por qualquer forma e/ou quaisquer meios (eletrônico ou mecânico, incluindo fotocópia e gravação) ou arquivada em qualquer sistema ou banco de dados sem permissão escrita da Editora.

Luz da Serra Editora Ltda.
Avenida Quinze de Novembro, 785
Bairro Centro - Nova Petrópolis/RS
CEP 95150-000
loja@luzdaserra.com.br
www.luzdaserra.com.br
www.luzdaserraeditora.com.br
Fones: (54) 3281-4399 / (54) 99113-7657

LÍGIA POSSER

IDOSOS & ESPIRITUALIDADE

O DESPERTAR PARA UMA VIDA SAUDÁVEL, LONGEVA E PLENA

Nova Petrópolis/RS - 2021

Para quem se destina este livro:

A todos que acreditam que uma pérola é resultado de uma transmutação da ostra ao reagir com resiliência a um grão de areia. Especialmente aos idosos que, tal como a ostra, desenvolvem a capacidade de transformar as asperezas da vida em pérolas de sabedoria e partem na busca de um caminho de luz através da evolução espiritual.

Sou Grata:

Sou grata às ondas vibracionais que permeiam nosso cotidiano e conspiram na concretização de encontros de almas afinadas com mesmo propósito e missão. Sou grata ao nosso primeiro encontro há mais de 15 anos, quando fomos colegas - Bruno Gimenes, Patrícia Cândido e eu - num curso com Mauro Kwitko, quando surgiu um carinho e uma amizade solidificados pelas mesmas buscas e crenças, no sentido de dar o nosso melhor por um futuro planetário. Sou grata ao PH, Paulo Henrique T. Pereira, por ter dito não à publicação de meu primeiro livro, pois realmente aquela não era a hora. Sou grata a Rackel Accetti, atual gerente da Luz da Serra Editora, que me levou a tirar da gaveta o tema sobre idosos, acreditou em mim e deu seu aval junto ao PH, afirmando que agora era o momento de acolher esta vovó na equipe de autores Luz da Serra. Sou grata ao meu companheiro de caminhada, Vítor, que sempre me incentivou a jamais desistir de meus sonhos. E assim, com muita fé, alegria e persistência, hoje estou pronta para entregar meu livro sobre idosos, com as bênçãos de Deus e todos os Mestres Ascensos que nos acompanham nesta jornada alquímica que se chama vida.

SUMÁRIO

Meus objetivos ao escrever este livro 8

O vazio existencial e os medos dos idosos .. 22

"Se eu soubesse que iria viver tanto tempo, teria cuidado melhor de mim" 52

A alma não se aposenta nem envelhece 64

Relacionamentos felizes e fluidos entre os idosos e seus familiares 68

Amor e sexo não têm idade: uma convivência saudável a dois 84

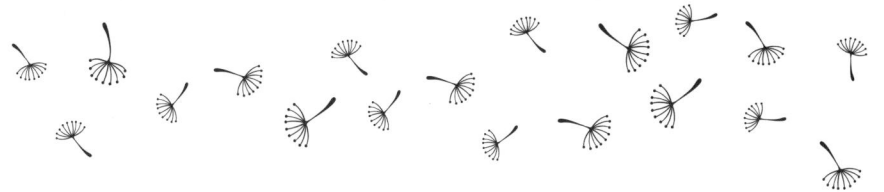

Cuidados com o corpo físico para bem viver sua jornada **97**

Envelhecer com dignidade e liberdade para fazer suas escolhas **104**

O poder dos cristais e das plantas na rotina dos idosos **115**

Conexões intuitivas do idoso com o mundo espiritual **132**

Decisões importantes na caminhada evolutiva do idoso **141**

Rumo à longevidade plena, conferindo um novo sentido à sua vida **154**

Meus objetivos ao escrever este livro

    Neste exato momento de minha vida, sou uma idosa de 70 anos, com uma escadaria de muitos degraus para subir. Se eu me mover muito rapidamente, vou ficar exausta; se eu for muito devagar, talvez nunca chegue ao topo. Por isso, vou subindo movida por um propósito e muita determinação, e o final da escada me sinalizará que eu posso, que eu quero e que eu consigo realizar tudo que eu decidir com fé e confiança, independentemente da minha idade.

    Confesso que, em um passado não muito distante, já idosa, na casa dos 60 anos, os degraus dessa escadaria foram ficando pesados, eu me tornei lenta, estava quase parando, desistindo.

Foi quando meu marido teve uma segunda recidiva de um câncer, desta vez nos ossos, e os médicos lhe deram poucos meses de vida. Nossa situação econômica era razoavelmente estável, mas resolvemos vender a empresa que nos mantinha. O momento era delicado, exigia rapidez nas negociações, e no ímpeto de resolver esse impasse e nos dedicarmos à recuperação de meu marido, não demos a devida atenção aos trâmites. Acabamos perdendo tudo, materialmente falando.

Foi um duro, mas positivo aprendizado: aprendemos a exercer nossa resiliência. Mudamos totalmente o rumo de nossas vidas e decidimos buscar terapias mais naturais.

Além disso, eu voltei a trabalhar. Retornei à universidade para dar aulas, ministrar cursos e palestras e vender meus livros, reabri meu consultório. Com o pouco de recursos que nos restou, construímos a casa de nossos sonhos nas montanhas, afinal, não sabíamos quanto tempo ainda viveríamos juntos. O tempo foi passando, buscamos uma mudança radical de vida, incluindo alimentação orgânica, espiritualidade e terapias holísticas. Meu marido curou-se, fomos recuperando nossa situação financeira, trabalhando muito, unidos com fé e confiança.

Alguns anos depois, realizamos as viagens de nossos sonhos – fomos a Índia, ficamos em Ashrams aos pés do Himalaia, dormimos no deserto do Rajastão em barracas, entramos nas pirâmides do Egito, nas cidades intraterrenas da Capadócia, na Turquia, fomos aos Andes por terra até o Chile, e realizamos muitas viagens por locais místicos no Brasil. Neste período, minha afinidade com a filosofia indiana colocou em minha caminhada Krishnamurti e Yogananda. Hoje, meu companheiro e eu já estamos na casa dos 70 anos, recuperando a saúde, com a situação financeira novamente estável e com qualidade de vida.

Mas por que estou falando tudo isso? Porque vou relatar neste livro que nós somos a prova viva de que

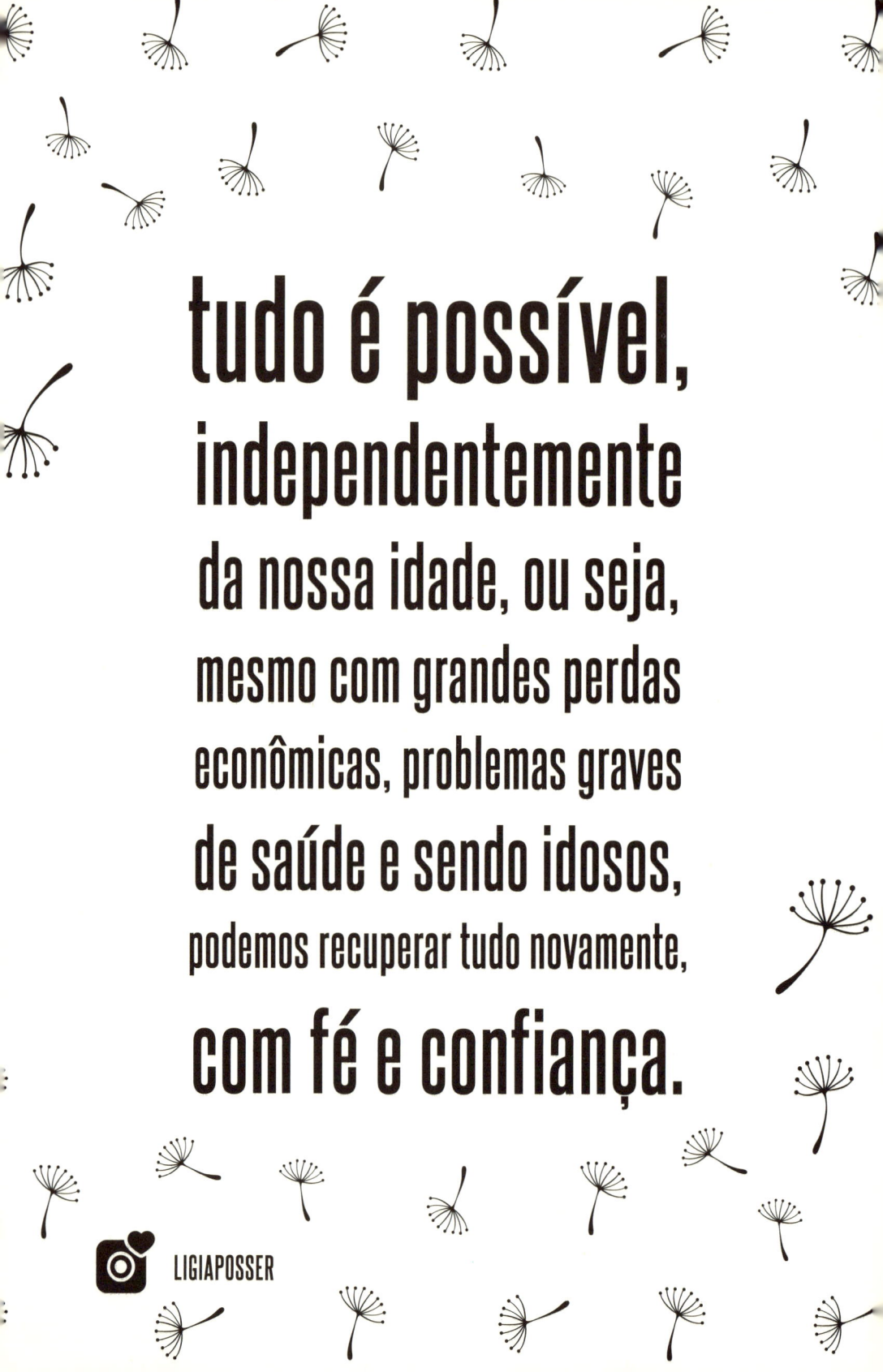

O conceito de impermanência muito cedo fez parte do meu cotidiano, sempre fui aberta a mudanças. Dessa forma, ao longo de minha vida, atuei em muitas áreas e estudos diferenciados. Fundei e fui diretora de uma escola infantil por muitos anos, enquanto me especializava em psicologia infantil e psicopedagogia. Em seguida, senti o chamado e fui para a França me especializar em cosmetologia e terapias naturais de beleza e estética, dirigindo por muitos anos uma das maiores clínicas de medicina e estética do Rio Grande do Sul, no milênio passado. Passei a ministrar cursos e palestras no Brasil e no exterior. Com o passar dos anos, senti o chamado para envelhecer com saúde e qualidade de vida, motivo pelo qual fui para a Pontifícia Universidade Católica (PUC) realizar uma pós-graduação em gerontologia. Finalmente, já estava terminando meu mestrado sobre o tema *Aparência e Essência no Processo de Envelhecimento*, quando meu orientador de tese, Dr. Antônio C. Souza, faleceu no acidente de avião da Tam. Eu não quis mais continuar sem sua orientação.

Voltei-me para o meu lado de escritora, que estava adormecido à espera de uma oportunidade em minha agenda sempre lotada, pois, além de todas essas atividades, tive três filhos, participava ativamente de várias entidades assistenciais e grupos de estudos, organizava cursos, dava aulas e palestras o tempo todo. Assim, escrevi quatro livros: *SPAS – alquimia de uma jornada; Cristalfluidoterapia – a vida por detrás dos cristais; Conversando com as plantas – Florafluidoterapia; Cromofluidoterapia – toques quânticos das luzes e cores*. Atualmente, apesar de estar com meu primeiro romance de ficção pronto para ser entregue para publicação, com este momento planetário de pandemia, quando classificaram mundialmente os idosos como faixa de risco, orientando-os a ficarem em casa, senti o chamado para compartilhar meu conhecimento e experiência com essa faixa etária denominada por muitos de terceira idade.

Nestes últimos anos, venho trabalhando em consultório como psicoterapeuta holística com inúmeros idosos, e, no intuito de melhor auxiliar essa faixa etária, criei um método para conduzi-la ao maior autoconhecimento, alcançando sucesso no seu despertar em relação a suas reais potencialidades, propósito de vida e missão. Esse método está fundamentado em quatro etapas de vivências que conduzem a um despertar. Seu objetivo é, através do autoconhecimento, levar o idoso a reconhecer todo seu potencial para ser feliz, ativo, longevo e saudável em busca de sua evolução espiritual.

Espero, com este livro, poder colaborar com milhares de idosos ao redor do globo, pois sei o quanto esse método funciona e vem auxiliando as pessoas em meu consultório há mais de 20 anos. Em todo esse tempo, o que mais chama a atenção é a importância do autoconhecimento, do reconhecimento de suas possibilidades e reais capacidades, bem como a forma de melhor delas usufruir, além da consciência das crenças que vêm limitando seu desenvolvimento e atuação como um idoso feliz e longevo.

A título de ilustração, apresento a história do Sr. Benício, que, já viúvo há três anos, cada dia mais ficava em sua casa, sendo cuidado por uma pessoa que vinha todos os dias fazer a limpeza e preparar suas refeições – fora isso, ele foi reduzindo contato com amigos e se afastando dos filhos e netos. Diante disso, um psiquiatra prescreveu-lhe medicamentos para estimular sua socialização. Como ele se negou a tomar esses remédios, foi trazido ao meu consultório sob ameaça da família: ou vinha consultar ou seria internado para um tratamento mais efetivo. Ele já se encontrava em um quadro depressivo e apresentava rigidez e dores musculares. Desde a primeira sessão, sugeri iniciar a aplicação de um método em que ele iria se conhecer e saber o que realmente ainda queria nesta sua existência. Com medo de ser interditado e levado para uma instituição, ele estava cada dia mais depressivo e dependente, então aceitou colaborar – vale mencionar que observei um brilho de curiosidade com um misto de desafio irônico em seus olhos.

Nas duas primeiras etapas do método, ele já falava com tom de voz mais alto e articulava melhor cada palavra, demonstrando enorme capacidade intelectual e raciocínio rápido. Na terceira etapa, veio sozinho ao consultório, contando que estava caminhando duas vezes ao dia para recuperar o tempo perdido e voltar a ter a energia e vitalidade de antes. Ao término da terapia (e confesso que tive que acelerar o processo, pois ele estava com pressa), ele já havia comprado uma passagem para passar um mês em um cruzeiro pela costa da Europa, realizando um sonho antigo. Como se não bastasse, oito meses depois, fui convidada a ser testemunha de seu casamento civil com uma amiga de sua finada esposa, que também era viúva. No início, ela apenas lhe pedia ajuda na contabilidade, para tocar a empresa de seu falecido marido, mas os dois terminaram se apaixonando.

Por tudo isso, posso afirmar que o ato de se conhecer faz toda a diferença na vida de um ser – em qualquer etapa da vida – mas o autoconhecimento na terceira idade leva muitas vezes às seguintes considerações:

❀ Eu sempre sonhei com isso, e agora?
Será que ainda dá tempo?

❁ Eu gostaria muito de ir, mas eu me conheço, sei que não consigo mais!

❁ Nem quero começar a me conhecer, pois vou ficar frustrado comigo por ter deixado o tempo passar sem ir atrás dos meus sonhos. Agora é tarde.

Será? Será que você se conhece mesmo, incluindo toda sua real capacidade e potencialidade? Enquanto existir a energia do **eu ainda quero isso para mim**, haverá potencialidades a serem exploradas. Sim, pois a partir do autoconhecimento tudo muda, renovando o entusiasmo e o poder do querer com a energia do **eu ainda posso, eu quero, eu mereço esta nova oportunidade que a vida está me sinalizando.**

Assim, desejo abrir esse leque de conhecimento para que terapeutas, geriatras, gerontólogos, psicólogos e fisioterapeutas, enfim, todos os profissionais das mais diversas áreas, sejam multiplicadores desses conhecimentos que muito farão a diferença na qualidade de vida, saúde física e mental dos idosos.

Ressalto que desenvolvi e ajustei esse método de modo a permitir que os próprios idosos e seus familiares possam realizar adaptações conforme suas particularidades. Além disso, este livro também é destinado a pessoas mais jovens, que ainda não chegaram à terceira idade, como uma forma de despertar preventivamente no hoje, com vistas a um futuro saudável e feliz, pois, para ser um idoso longevo, é preciso rever sua vida e atitudes no hoje.

Ao longo das próximas páginas, vou apresentar ferramentas e dicas para o idoso enfrentar o vazio existencial que com frequência surge nessa faixa etária – vazio que não se manifestaria, se desde cedo houvesse atitudes preventivas, a partir de um dos temas que vamos abordar fortemente: ***Se eu soubesse que iria viver tanto tempo, teria cuidado melhor de mim.*** Cabe salientar que a alma não se aposenta nem envelhece, pois o ato de se aposentar ativo, saudável e feliz faz toda a diferença, tornando os relacionamentos cada vez mais fluidos e harmônicos entre os idosos, seus familiares e amigos.

A temática do amor e sexo também está contemplada nesta obra, a fim de despertar a consciência de que não existe limite de idade para uma convivência saudável e romântica a dois, abarcando os cuidados e providências para que esta alma que habita o corpo de um idoso tenha todas as oportunidades de bem viver sua jornada.

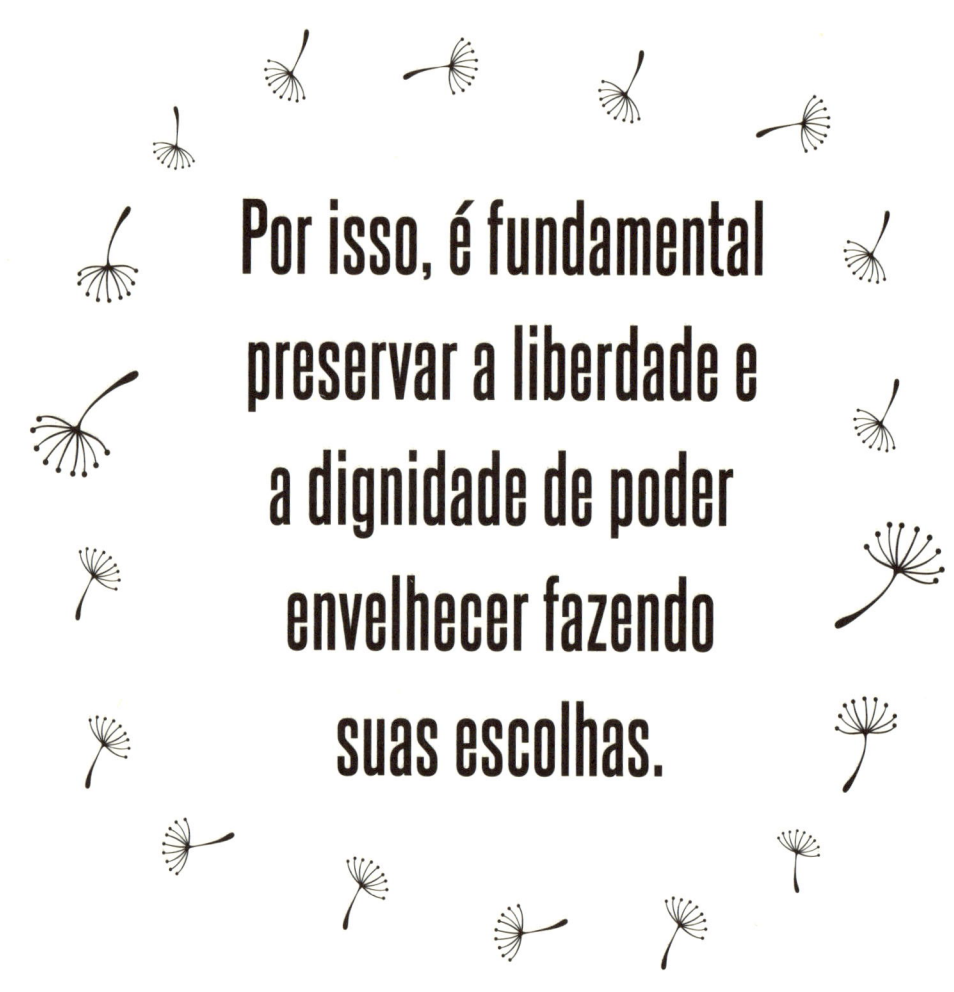

Por isso, é fundamental preservar a liberdade e a dignidade de poder envelhecer fazendo suas escolhas.

No capítulo sobre o poder dos cristais e das plantas nessa etapa da vida, será o momento mágico de entrar em conexão com esse mundo sanador e sutil, aprendendo a interagir através da sabedoria e amorosidade com as dimensões vibracionais poderosas das pedras e dos vegetais.

Já adentrando nesse mundo sutil, iremos em busca de conexões intuitivas e espirituais, pois o despertar evolutivo ocorre no encontro com um Ser de Luz e Força, independentemente da crença de cada um. O mundo das energias sutis e a espiritualidade serão o caminho mais rápido e seguro para a plenitude da alma ocupando um corpo nesta existência.

Por fim, o método em quatro etapas de autoconhecimento, que é o veículo facilitador dessa jornada, nos transportará do estado atual para o estado de um **Idoso Feliz, Longevo e Espiritualizado**.

O vazio existencial e os medos dos idosos

Muitos idosos chegam a essa etapa da vida sentindo-se vazios, sugados, murchos, enrugando pele, mente e coração. Sabe aquela vontade de não fazer nada, olhar parado, respiração cortada por soluços vindos do fundo do coração, parecendo triste, amargurado, sem saber exatamente o motivo? Essa sensação é denominada vazio existencial, ou seja, estamos vivos, temos tudo, mas impera um sentimento de incompletude.

Pensando nisso, a proposta aqui é preencher esse vazio com uma forma de terapia e cura – na verdade, a palavra cura é muito forte, pois esse vazio não é uma doença, embora muitos realmente adoeçam física e mentalmente, fiquem depressivos e não saibam lidar com esse processo natural do envelhecimento. Enfim, a ideia é propiciar um modo de ocupar e amenizar esse vazio existencial que pode surgir dentro de você.

E como fazer isso?

A resposta é uma só: com amor.

O amor é a vibração mais pura e curativa do Universo. Somente ele é capaz de preencher todas as lacunas, desde os sentimentos vindos do coração até os pensamentos gerados no cérebro – hoje, amanhã e sempre.

A partir de agora, vamos, juntos, desenvolver um método que preencha esse espaço vazio com alegria, leveza, espiritualidade, rejuvenescimento e muito amor. Teremos como consequência: idosos felizes, ativos e saudáveis, que descobrirão uma nova forma de ser e de se colocar dentro dos diversos espaços, visando a uma vida longeva e com possibilidades de se reinventar e viver plenamente.

Com frequência ouvimos a frase "Quem casa quer casa". Pois bem, o novo idoso deste milênio também quer envelhecer tendo seu espaço, seus hábitos preservados e, se possível, sua casa, sua liberdade de ir e vir, sua independência dentro desse processo de envelhecer. O pior que pode ocorrer para alguém é chegar nesse estágio da vida com um sentimento de vazio, sem ter o seu cantinho, uma casa só sua, o direito de ser preenchido de paz e harmonia e de ter o comando do que fará com suas coisas, sua vida e suas escolhas de ser e viver.

Muita coisa está mudando e ainda mudará no âmbito de idoso feliz, saudável e espiritualizado. Portanto, não existe mais a prisão ou estereótipo do envelhecer dentro de paradigmas que pregam que sua vida começa a seguir uma curva descendente após os 60 anos, fazendo você desistir de sonhar e de ter metas.

Quem muito bem se referia a esse momento e às atitudes corretas a serem tomadas era Madre Teresa de Calcutá, quando orientava:

> *Enquanto estiver vivo, sinta-se vivo.*
> *Se sentir saudades do que fazia, volte a fazê-lo.*
> *Não viva de fotografias amareladas...*
> *Continue, quando todos esperam que desistas.*
> *Não deixe que enferruje o ferro que existe em você.*
> *Faça com que, em vez de pena, tenham respeito por você.*

> *Quando não conseguir correr através dos anos, trote.*
>
> *Quando não conseguir trotar, caminhe.*
>
> *Quando não conseguir caminhar, use uma bengala.*
>
> *Mas nunca se detenha.*

Essa é a atitude que temos que tomar, pois se vamos ter 10, 20, 30 ou mais anos pela frente, devemos nos organizar o quanto antes para bem viver essa nova oportunidade longeva de ser livre, feliz e ativo, vivendo com alegria e prazer. Isso inclui poder usufruir de ótima saúde, planejar e criar formas e oportunidades de viver e sermos donos de nossa vida e nossas decisões, sem "tens que", sem dar satisfações de nossas escolhas de viver nesta nova fase de idosos bem resolvidos, para viver o presente de forma ativa e feliz.

Sempre questiono os idosos que, à medida que vão envelhecendo, vão ficando mais apegados aos seus filhos e netos, cobrando presença e atenção, querendo se sentir sempre importantes, necessários, chegando inclusive a manipular situações e relacionamentos. Na verdade, querer ficar no comando é uma forma de manter os filhos próximos. Assim, a síndrome do ninho vazio, que é mais uma forma de vazio existencial, fica camuflada dentro de relacionamentos controladores e nada benéficos. Sobre esse tema compartilho com você algo bem pessoal.

No passado, já fui julgada de insensível e desapegada; já me acusaram de não amar meus filhos, apenas porque acredito que eles crescem e devem seguir suas vidas, escolhas e caminhadas. Sempre lembro a poesia de Kalil Gibran que em determinado trecho diz: "Nossos filhos não são nossos, são filhos do mundo, nós somos o arco e eles são as flechas, e uma vez lançadas, não voltam mais ao ponto de origem".

Pode parecer frieza, mas não é. Os filhos crescem e não é saudável continuarem por tempo infindável sob os cuidados e comandos dos pais e avós. Chega um momento na vida de nossos filhos em que temos que nos tornar desnecessários, sem complicar e sem traumatizar, apenas aceitar essa realidade natural da vida. Já cuidamos, educamos, fizemos o possível para que sigam suas vidas felizes e independentes. E assim, para que essa passagem não seja dolorosa, temos que ir nos tornando desnecessários na vida deles.

> *Vale destacar que existe uma diferença entre envelhecer e buscar se tornar **desnecessário**, e envelhecer com um sentimento de **inutilidade**. Sobre isso, padre Fábio de Melo fez uma preleção que é um verdadeiro primor de sabedoria e ternura, permeada de muita verdade:*
>
> *A velhice nos traz direitos maravilhosos, enquanto a juventude é cheia de obrigações. A velhice é o tempo em que vivemos a <u>doce inutilidade</u>. Porque mais cedo ou mais tarde iremos experimentar esse território desconcertante da inutili-*

dade. Esse é o movimento natural da vida.

Perder a juventude é perder a sua utilidade, é uma consequência natural da idade que chega. A velhice é o tempo em que passa a utilidade e fica somente o significado da pessoa. É o momento que a gente se purifica.

É o momento que a gente vai tendo a oportunidade de saber quem nos ama de verdade. Porque só nos ama para ficar até o fim aquele que, depois da nossa utilidade, descobre o nosso significado.

É por isso que sempre rezo para envelhecer ao lado de quem me ama. Para poder ter a tranquilidade de não ser útil, mas ao mesmo tempo não perder meu valor. Se você quiser saber se alguém te ama de verdade, é só identificar se essa pessoa seria capaz de tolerar a sua inutilidade.

Quer saber se você ama alguém? Pergunte a si mesmo quem nesta vida *pode ficar inútil, sem que você sinta o desejo de se afastar. E é assim que nós descobrimos o significado do amor... Só o amor nos dá condições de cuidar do outro até o fim!*

Feliz daquele que tem, ao fim da vida, a graça de ser olhado nos olhos e ouvir: "<u>Você não serve para nada, mas eu não sei viver sem você!</u>"

(texto adaptado)

Porém, para nos tornarmos desnecessários aos filhos, é importante preenchermos nossas vidas com outros elementos, buscando nos ocupar com coisas agora somente nossas – nossos hobbies, nosso corpo, nossos sonhos. O vazio ocorre quando voltamos nossos sonhos e expectativas exclusivamente a uma existência compartilhada com os filhos. Contudo, não vamos viver a vida deles, assim como eles não têm mais espaço em nossas vidas diuturnamente, até porque nossa forma de ser e possibilidades de vida já não são as mesmas.

Claro que continuaremos a amá-los de forma incondicional, como qualquer genitor ama; somente cortaremos os laços de dependência física e afetiva. Afinal, nós os ensinamos a serem confiantes e seguros para seguirem sem medos ou culpas, para viverem e usufruírem de suas vidas livremente. Se errarem ao longo do caminho, sempre terão o porto seguro de nossa acolhida, mas temos que deixá-los viver suas experiências, pois *quem ama liberta*. Os vínculos afetivos nunca se rompem, apenas vão se transformando. Sei que este é um grande desafio, especialmente para pais e avós apegados, mas devemos nos alegrar com a felicidade e a liberdade deles, da mesma forma que desejamos o mesmo para nossa própria vida. Gosto muito da afirmação de Dalai Lama sobre esse tema: "Dê a quem você ama: asas para voar, raízes para voltar e motivos para ficar."

Sim, motivos para voltar! Gosto muito quando dizem: "Vamos para a casa de nossos pais", ou "Vamos na casa do vô e da vó". Acho lindo e saudável – inclusive, cada vez mais os avós vêm participando nos cuidados dos netos por alguns momentos e dias. E essa atitude já preenche um pouco – e de forma saudável – o vazio do afastamento natural dos filhos e netos quando crescem.

Também há filhos que, depois de caminhadas e buscas pelo mundo, voltam para a casa dos pais, local onde sempre serão recebidos com amor. Essa decisão de voltar **por um período** é muito benéfica. Talvez o ciclo do filho com os pais não tenha se encerrado da melhor forma, e essa volta renova convívios, reforça laços de afeto, desfaz crenças limitantes e organiza assuntos mal resolvidos. Ou seja, trata-se de um estágio extremamente salutar, com muitas oportunidades de cura para ambos os lados. É como se o espaço vazio constatado na vida dos pais também se instalasse no filho que partiu, portanto, nada melhor que voltar e retomar situações e sentimentos, para depois sim partir definitivamente para sua própria vida, sem mais deixar essas lacunas emocionais na caminhada.

Existe ainda um tipo de vazio que afeta as pessoas em todas as idades, mas muitas vezes se intensifica no idoso. Refiro-me ao vazio causado pelos medos, que são capazes de desestruturar toda sua postura tranquila, criando uma lacuna de raciocínio coerente, um parar de respirar como de quem leva um susto, uma carência de segurança e proteção. Muitos chegam a afirmar que "seu mundo caiu" ou "que o mundo desabou sob seus pés".

Entre os principais medos que acometem os idosos, podemos citar os seguintes:

Medo da solidão, ou seja, medo de ficar sozinho. Relaciona-se a perdas que ocorrem durante a vida, afastamento de familiares, envelhecimento sem ter uma pessoa ao seu lado que faça a diferença, principalmente no âmbito afetivo, promovendo trocas de amor e presença física. O medo da solidão com frequência leva o idoso a se submeter a relacionamentos nada benéficos – mas infelizmente ele prefere isso a ficar sozinho. Existem inúmeras pessoas que não sabem lidar bem com a solidão. Outras, de forma saudável, sentem-se muito bem vivendo sozinhas, gostam de sua própria companhia – estas são geralmente bem resolvidas, com muita vida interior.

Medo da própria morte, comum entre aqueles que não aprenderam a lidar bem com a finitude. Muitos trazem vivências trágicas da infância ou juventude, quando sofreram perdas traumáticas que nunca foram psicologicamente trabalhadas, pelo contrário, foram sempre abafadas. Essas pessoas podem envelhecer com medo de morrer ou de sofrer dores físicas e emocionais na velhice, tornando-se emocionalmente frágeis. O curioso é que, muitas vezes, pela lei da atração, o que mais temem e evitam será exatamente o que irão atrair para suas vidas. Como uma bola de neve, vão aumentando e desencadeando outros medos, como o de **ficar dependente**, que é um dos mais recorrentes entre os idosos, por dois motivos: medo de não ser bem atendido em suas necessidades e dependências; e medo de incomodar, de dar trabalho aos seus familiares, além de gastos significativos com cuidadores.

Medo de não ser aceito, capaz de levar ao medo do abandono e à necessidade extrema de valorização. Na verdade, essa carência de aceitação é forte em todo ser humano, em qualquer idade, fazendo, inclusive, com que muitos se anulem ao longo de suas vidas, somente para agradar aos outros e serem aceitos por grupos ou pessoas específicas. No entanto, na terceira idade, esse medo pode acarretar quadros depressivos potencializados por baixa autoestima e atitudes de submissão.

Por fim, ainda existe o **medo da perda de entes queridos**, que acomete quem não aprendeu a trabalhar bem as perdas ao longo da vida. Mais adiante voltaremos a falar sobre como lidar com as perdas inevitáveis. Nestes casos, fica nítido um sentimento arraigado do ego, que insiste em classificar as pessoas como **meu** filho, **minha** mulher, **meu** neto, de forma apegada, evidenciando um pertencimento doentio. Como consequência, muitos idosos adoecem quando precisam enfrentar tais situações. Isso é tão forte, que há algumas décadas costumava-se esconder do idoso a morte de pessoas próximas, entre mentiras e relatos de viagens intermináveis. Era comum falar: "Não vamos contar a ele, ele não tem condições de saber, ele não irá aguentar". Essa atitude colocava o idoso numa posição emocional frequentemente mais frágil do que ele realmente era.

Agora, convido você, querido leitor, a iniciar as duas primeiras partes do método que desenvolvi especialmente para auxiliá-lo na conquista da sua liberdade de ser um idoso longevo, saudável, feliz e espiritualizado, através do autoconhecimento.

Esse processo será como os ventos invisíveis que esculpem a rocha, sem pressa mas sem parar, uma ação gradual e contínua, abordando cada situação e etapa, tal como uma brisa proporcionando mais leveza ao seu caminho interior. Esta metodologia permite maior precisão sobre suas reais condições, limitações e possibilidades, descomplicando sua vida, auxiliando-o nesta jornada rumo à plenitude.

Contudo, chamo sua atenção para um detalhe: essa técnica de autoavaliação não é um procedimento fácil ou mágico, do tipo "vou fazer e responder todas as questões em uma tarde, depois posso até relembrar algumas coisas e tudo vai ser diferente, já com minha vida e atitudes mudadas".

Não. Este é um processo que mexe com nossas emoções e crenças limitantes, o que pode ser difícil de aceitar e reconsiderar. Muitos até dizem: "Estou muito velho para agora pensar em mudar. As questões respondidas até me mobilizaram, me envolveram em sentimentos e emoções que nem pensava que existiam e sentia, mas não sei se quero e se vou mudar minha forma de ser e pensar nesta etapa da vida".

Antes de continuar, pergunto: e se você ainda tiver 10, 20 ou mais anos de vida? Você vai viver com todo esse ranço de atitudes e crenças que limitam sua felicidade?

Sei que ao realizar este *Método de Autoconhecimento*, você vai se defrontar com fatos e situações sobre os quais preferiria nem pensar, pois seria mais cômodo deixá-los debaixo do tapete da memória para sempre. Mas pense bem! Esses são os causadores de tantos sofrimentos e padrões de comportamento dolorosos e repetitivos. Não estaria na hora de olhá-los de frente, analisar um a um, pensar, sentir e reconsiderar?

Lembre-se: nunca é tarde para mudar. E mais: quando você começa a trabalhar esses assuntos e fatos que incomodam, e busca compreendê-los, limpando esse baú de crenças limitantes do passado, você se torna mais livre e leve para acessar novas escolhas de futuro, tudo isso a partir do autoconhecimento, a fim de que você possa tomar a vida em suas próprias mãos e decidir como será seu futuro nas próximas décadas.

Mais adiante, na etapa 4, após ter se olhado com coragem e agora conhecendo seu verdadeiro eu, será o momento de se dedicar a estabelecer o seu próprio programa de metas de mudanças, baseado exclusivamente no que você viu nos três itens anteriores. Será uma oportunidade realmente intensa, que permitirá dirigir seu olhar para sua própria história, deixando-o cada vez mais motivado a mudar no que é preciso e a valorizar o que tem de melhor. Sem falar na benção da clareza que será despertada durante o processo! Assim, você se tornará um idoso sempre mais lúcido e desperto, visualizando o que é essencial em sua vida.

Vamos juntos?

1ª Etapa:

Para potencializar este método e ancorar energias específicas, sugiro que você faça uso de uma selenita. Seu nome vem da palavra grega *selēnē* (Lua), que vibra na frequência da tranquilidade, amor e luz. Essa pedra tem dureza 2 na escala de Mohs, evidenciando uma fragilidade que exige cuidado e suavidade para seu manuseio, do mesmo modo que nós, idosos, necessitamos de certos cuidados em nosso dia a dia. Ela tem também propriedades naturais de absorção térmica – fica quente ao toque, da mesma forma que os idosos precisam ser tocados e acariciados para manter o calor da afetividade sempre presente.

Na parte vibracional/espiritual, a pedra selenita é capaz de manter a informação dentro de sua estrutura. Assim, ela pode ser usada tanto para transmitir uma mensagem telepática de uma pessoa para outra, quanto para trabalhar o campo vibracional do entorno através de sua luminosidade, propiciando paz, tranquilidade e amor.

Muito bem, verifique que você esteja bem acomodado, confortavelmente sentado. Agora, já segurando a sua pedra selenita na mão, preste atenção na sua respiração. Primeiro inspire contando até quatro, segure o ar por mais quatro segundos, e depois expire contando mentalmente até quatro. Repita esse ciclo em torno de cinco vezes. Agora, respire suave e lentamente. Com essa sensação de bem-estar, comece a olhar para dentro de você, promovendo um diálogo consigo mesmo. Você pode apenas pensar nas perguntas que vêm a seguir, ou pode falar em voz alta. Em seguida registre suas respostas nos espaços indicados, sempre no seu tempo, no seu ritmo.

IDOSOS E ESPIRITUALIDADE

Eu, _____, quero me conhecer, quero saber quem sou, quem realmente sou, e não quem já fui ou o que fiz durante toda minha vida. Quero me conhecer hoje.

Quem realmente eu sou?
_____
_____

Quem eu gostaria de ser ou de ter sido?
_____
_____

O que eu vim fazer aqui?
_____
_____

Que sonhos ficaram no passado?
_____
_____

O que deixei de realizar?
_____
_____

Utilize o tempo que for necessário para responder. Esses primeiros questionamentos vão, aos poucos, lhe preparando para uma viagem mais profunda a todas as etapas de sua vida, para dentro de você.

Vá cada vez mais profundamente para dentro de seu território interno, mergulhe em seu interior, descubra tudo aquilo que você nem imaginava que ainda existisse. E, porque não?, aproxime para este momento de sua vida tudo de bom que ficou no passado. Recomece com leveza e liberdade. Permita-se. Acesse suas memórias boas, alegrias e momentos que gostaria de trazer de volta. Revisite o que foi positivo, aquilo que valeu a pena. E, dentro dessa tranquilidade, se entregue ao momento presente.

Dentro dessa vibração gostosa, o convido a passar rapidamente por sua infância, juventude, idade adulta e momento atual. Lembre-se de alguns momentos marcantes. Encare cada fase passando em sua mente como se estivesse assistindo a um filme.

Essa viagem é incrivelmente salutar e transformadora. Não se preocupe, pois algumas lágrimas, estremecimentos e sorrisos podem surgir. Segure sua pedra selenita bem junto ao coração, faça um plug energético com ela e acione a calma, alegria e leveza. Aos poucos, quando sentir que o filme acabou, vá voltando para o aqui e agora.

Por fim, pare, pense, responda para você mesmo:

Como posso e gostaria de recomeçar, agora com mais leveza e liberdade?

Levante, tome um copo de água, respire fundo. Por hoje, vamos parar por aqui. Saia para caminhar, conversar com pessoas, ou se permita ficar em silêncio, usufruindo dessa primeira etapa de autoconhecimento. Você está indo muito bem.

2ª Etapa:

O grande desafio é olhar-se com clareza, sem julgar ou arranjar explicações e desculpas. Apenas aceitar e avaliar-se com o coração.

Este processo pode desencadear lembranças e muitas vezes pequenas ou grandes dificuldades de se avaliar, mas não desista. Siga entregue e aberto a deixar fluir o que lhe vier à mente. Tenha certeza de que, se você for honesto nesta autoavaliação, 60% do método de autoconhecimento já estará completo.

Na sequência, vou apresentar palavras e frases soltas, e você deve registrar o primeiro pensamento que vier à sua mente. De forma sucinta, quanto mais livre e espontânea for sua resposta, mais fácil será sua caminhada rumo ao autoconhecimento.

Sempre falando EU SOU, você concorda e se identifica, ou discorda e relata como realmente você é, escrevendo os números de 1 a 4 na frente.

1 Sempre	2 Na maioria das vezes	3 Nunca	4 Já fui assim
	Eu sou feliz; estou sempre de bem com a vida.		

	Eu sou confiante, seguro e decidido.
	Eu sou pavio curto; me irrito com facilidade.
	Eu sou sociável; gosto de pessoas.
	Eu sou sensível; me emociono com facilidade.
	Eu sou solidário; gosto de apoiar os demais.
	Eu sou competitivo; gosto de desafios; sei perder e ganhar.
	Eu sou líder; sou firme e determinado; gosto de conduzir e gerir pessoas.
	Eu sou criativo; tenho muitas ideias e soluções.
	Eu sou carinhoso; gosto de tocar e manifestar afeto.
	Eu sou flexível; gosto de delegar, de sair do comando.
	Eu sou acessível; todos me procuram e se sentem à vontade comigo.

	Eu sou entusiasta; estou sempre alegre e motivado.
	Eu sou organizado; gosto de tudo em ordem.
	Eu sou positivo; nada me tira desse estado; vejo sempre o lado bom das coisas.
	Eu gosto de mudanças; adoro realizar coisas diferentes.
	Eu sou altruísta; gosto de ajudar os outros; estou sempre disponível.
	Eu sou persistente; não desisto com facilidade; sou focado.
	Eu sou espontâneo; não seguro as emoções; deixo tudo fluir.
	Eu sou desligado; não foco em detalhes.
	Eu sou eficiente; busco sempre dar o meu melhor.
	Eu sou tolerante; tenho paciência e sei esperar.

	Eu sou divertido, engraçado e disposto.
	Eu gosto de me comunicar, de conversar e trocar ideias.
	Eu sou controlador; gosto de estar no comando.
	Eu sou sensível e emotivo; lágrimas vêm com facilidade.
	Eu sou focado e decidido; não consigo procrastinar.
	Eu sou atento e responsável, mas sem ser neurótico.
	Eu sou calmo, tranquilo e empático em qualquer situação.
	Eu sou meticuloso, analítico, atento aos detalhes.
	Eu sou flexível e aberto a ideias novas, a mudanças sem estresse.
	Eu sou criativo; gosto de inovar e inventar coisas e situações inusitadas.

	Eu sou um sonhador; tenho muitos projetos e expectativas.
	Eu sou estudioso; gosto de ler, estudar e aprender.
	Eu sou decidido; sei fazer minhas escolhas sem titubear.
	Eu sou seguro de mim; dificilmente me magoo.
	Eu sou superprotetor nos meus relacionamentos.
	Eu sou sensível demais às críticas; não sei lidar bem com elas.
	Eu sou campeão em mascarar problemas; faço de tudo para não os enfrentar.
	Eu sou disponível; gosto de ajudar e participar.
	Eu sou mais tímido quando não me sinto à vontade.
	Eu sou muito crítico; reparo nas pessoas e coisas.

	Eu sou desligado e desatento; muitas vezes olho sem ver.
	Eu sou teimoso; tenho dificuldade de ceder e voltar atrás.
	Eu sou autossuficiente; não gosto de receber ordens.
	Eu sou amável demais em certas situações; quero agradar tudo e todos.
	Eu sou prioridade; eu me amo e me respeito.
	Eu mereço ser feliz e próspero.
	Eu sou próspero; atraio e consigo tudo que quero.

A essas afirmações, no futuro, podem ser acrescentadas outras, e não existe soma de itens, nem tabulação para medir como você está nesta fase. Meu objetivo é ajudá-lo a estabelecer um diálogo interior, levando-o a um dar-se conta de certas coisas que, com o tempo e o processo de envelhecer, talvez não estivessem sendo observadas. Esta segunda etapa auxilia de forma significativa a nos enxergarmos como realmente somos, e quem sabe ressignificar alguns itens.

Embora esse exercício mexa muito com nosso emocional, é extremamente salutar e positivo estarmos sós para nos olharmos sem julgamentos e autocríticas, apenas vendo e aceitando quem realmente somos. Sem pressa, dê-se o tempo necessário para seguir em frente. Lembre-se: de forma invisível, no seu devido tempo, os ventos vão lapidando a pedra. Assim também é o processo de autoconhecimento: um lapidar interno que exige força, entrega e coragem.

Antes de iniciar a leitura do próximo capítulo, levante-se e vá até um espelho, o maior que você tiver por perto. Mire-se sem julgamentos, apenas se olhe; fite sua imagem profundamente, olho no olho, o máximo de tempo que conseguir. Para a maioria das pessoas, após 30 segundos a um minuto, essa prática pode se tornar desconfortável. Isso é normal, já que passamos a vida tangenciando e fugindo de um aprofundamento em quem realmente somos.

Como os olhos são a porta para a alma, o simples ato de se observar atentamente lhe conduz ao encontro com sua essência, com suas verdades. Ou seja, é um encontro consigo mesmo. Porém, na maioria das vezes, o pensamento foge, o olhar desvia, a distração impulsionada pelo ego tenta nos tirar do foco na experiência. Mesmo assim, repita essa vivência do espelho muitas vezes durante os próximos dias. O caminho da libertação é para dentro, e a porta de entrada é o enfrentamento de você consigo mesmo. Não é uma experiência simples ou fácil, mas é possível e esclarecedora. Eu amo desafios, e tem uma frase que vem norteando minha trajetória de vida: *Eles não sabiam que era impossível, foram lá e fizeram!*

Após realizar essa atividade por alguns dias, registre no espaço a seguir como tem se sentido.

_____

_____

_____

"Se eu soubesse que iria viver tanto tempo, teria cuidado melhor de mim"

Anote aqui a data de hoje _____/_____/_____.

Em seguida, se puder, faça duas fotos suas – primeiro somente da face e depois do corpo inteiro. Se possível, imprima e cole as fotos nesta moldura:

Se eu soubesse que iria viver muito tempo, teria cuidado melhor de mim. Porém, eu, _____, me comprometo a iniciar esses cuidados agora! Fotos de hoje, me aguardem nos próximos meses e anos, pois voltarei a esta página para ver minha transformação.

Também convido você a postar essas fotos em suas redes sociais, marcando o meu perfil **@ligiaposser** com a seguinte legenda:

Se eu soubesse que iria viver tanto tempo, teria cuidado melhor de mim.

Assim, vamos formar uma rede positiva de rejuvenescimento integral, unindo corpo, mente e espírito.

Pode ser que você esteja pensando: "Bem, mas agora o tempo já avançou, já estou velho, não adianta mais". Na verdade, não é assim que funciona.

Não importa a sua idade, ou o quanto sua mente e seu coração estejam contaminados com sentimentos negativos. Tenha você 50 ou 90 anos, sempre é possível e dá tempo de se preencher com uma onda de luz e amor, iluminando todos os espaços anteriormente tomados por tristezas, mágoas e sentimentos depressivos.

A luz sempre vence as trevas, e se a frequência do amor é curativa, pois é o maior poder vibracional do Universo, temos sim condições e ferramentas para reverter esse processo de envelhecer física e mentalmente. Para isso, basta virar a chave que nos conecta a nossa essência interna, entrando em conexão direta com nossa alma e nosso propósito nesta vida, ou seja, com o que realmente viemos aqui realizar.

Posso garantir a você que todos os idosos, independentemente de algumas dificuldades intrínsecas, podem acessar essa força e mudar seu mundo interior, manifestando, como resultado, maior energia e vitalidade, rejuvenescendo cada célula do corpo físico. Hoje já se sabe, através de estudos da física quântica, que nosso DNA muda e evolui ao longo de nossa existência, bastando ativá-lo de forma positiva.

E justamente a busca de conexões e a entrega com o mundo espiritual é que vão impulsionar esse novo caminhar.

No mundo acadêmico, pesquisas gerontológicas comprovam que os idosos mais longevos, saudáveis e de bem com a vida têm como base mantenedora a busca constante de evolução espiritual, incluindo a fé, a meditação e a oração em seu cotidiano. Esses são os futuros idosos bem resolvidos que apostam em sua longevidade e vivem no presente. O passado já se foi, e o futuro é construído no hoje, pois cada dia é um novo e feliz dia, e as sementes de hoje serão os frutos de plenitude no amanhã. Portanto, se ainda vamos viver 10, 20 ou mais anos, temos, sim, que mudar nossa postura física e mental, buscando mais espiritualidade imediatamente.

E você que está lendo estas páginas, o que vem realizando por você mesmo nesta etapa da vida? Pergunto de forma a abranger sua conduta e cuidados com seu corpo, alimentação, exercícios físicos, movimento. Como anda sua saúde mental, no que tange a dormir bem, manter uma vida calma e tranquila, onde a atitude de serenidade se faz presente em todos os momentos? E como está sua procura por evolução espiritual? Você já deve saber que espírito não tem bolsos, e caixão não tem gavetas, portanto, a única coisa que levamos conosco quando partirmos para nossa jornada em direção à luz são nossas realizações, o quanto amamos e nos doamos à nossa missão de vida. Então, você sabe qual é a sua missão, o que realmente veio aqui realizar?

São muitos os questionamentos, por isso, a seguir destinei um espaço para que você pare, medite e responda como está agora, o que fez até aqui.

_____

_____

_____

_____

Está em nossas mentes e corações envelhecer com saúde, alegria e leveza, sempre em busca de evolução espiritual. Basta decidir.

Atenção, jovem adulto de agora: o envelhecimento saudável é uma alternativa possível, que cabe a cada um escolher. Não espere para agir quando chegar lá, mesmo que hoje se sinta ótimo e não apresente problemas de saúde. Tenha presente que, em questões de energia vital, o que você está fazendo hoje com sua vida irá gerar respostas no futuro, quando idoso. A postura mais indicada, portanto, é a prevenção ativa, isto é, prevenir para não ser preciso remediar.

E para você que, assim como eu, já está na terceira idade, não deixe para amanhã as atitudes que você pode começar hoje mesmo, no aqui e agora. O envelhecimento é inevitável, mas nós podemos mudar o jogo, cuidando de nosso corpo, emoções e energia, para atrair tudo de bom que merecemos nesse estágio da vida.

Podemos até ter ossos mais frágeis, força física um tanto debilitada, menos agilidade no ir e vir, mas, quando decidimos reagir, nada disso irá afetar nosso entusiasmo de acordar todas as manhãs e planejar mais um novo e lindo dia, cheio de atividades prazerosas a realizar, fazendo de cada momento uma oportunidade de viver o que realmente importa.

Isso me faz lembrar de uma idosa que atendi certa vez no consultório. Ela chegou super produzida, vestida como se fosse a uma festa, com paetês e joias, tudo com muito brilho e bom gosto. Entre divertida e sorridente, lhe perguntei se iria a algum lugar especial após nossa consulta, ao que ela, segura e feliz pela oportunidade de falar, me respondeu:

> "Doutora, vou lhe contar uma história. Eu tenho tempo, estou em meu horário com a senhora, então posso falar à vontade. Quando eu tinha 35 anos, já casada e com filhos pequenos, fui passar um final de semana com meu pai, que estava viúvo e velhinho. Levei-lhe de presente uma camisa de seda azul, recomendando que ele a usasse em uma ocasião especial. No dia seguinte, no café da

manhã, ele apareceu vestindo a camisa. Com cuidado para não o magoar, falei: *Papai, eu comprei esta camisa para usares em um dia especial.*

Ele me olhou sério e respondeu: *Filha, hoje eu acordei feliz, sorrindo. Vou tomar meu desjejum com a presença de minha filha muito amada, ou seja, é um momento raro, querida, é um dia especial.*

Fiquei constrangida, ao mesmo tempo emocionada por entender o quanto eu significava para meu pai. Sim, aquele era um dia especial para ele. E isso me levou a pensar: quantos dias especiais ainda teremos juntos? Por isso, não titubeei, e decidi que aquele era também um dia especial para mim. Levantei, olhei fundo em seus olhos, há anos queria dizer-lhe que o amava muito e pedir perdão pela minha juventude de menina desregrada, pelas noites de sono que lhe furtei, pelas grandes preocupações que lhe causei. O momento era aquele, e melhor oportunidade não haveria. Abracei e beijei sua face enrugada, acariciei seus cabelos brancos, secamos as lágrimas um do outro.

Realmente, doutora, aquele era um dia especial e único, já que duas semanas depois meu pai partiu, não sem antes deixar a seus cuidadores a recomendação de vesti-lo com sua camisa de seda azul, pois este também seria um dia importante, quando iria se encontrar com minha falecida mãe. Dessa forma, aprendi com meu pai que não devemos guardar nossas roupas e outras coisas valiosas esperando uma oportunidade chegar: todos os dias e momentos são especiais, e devemos dizer sempre o quanto amamos e o quanto sentimos por nossas faltas, além de pedir perdão e perdoar.

Aprendi e decidi que vou sempre seguir o caminho do meu coração, amando e indo atrás dos meus sonhos, não importa a idade e quanto tempo de vida ainda me reste. Nunca fico parada esperando ou deixando as coisas para amanhã. Vou vestir minha melhor roupa no hoje, colocar meu melhor perfume e sorriso na face hoje, aqui e agora, sempre com muito amor, alegria e glamour."

Apenas um detalhe para os curiosos: o que uma velhinha tão maravilhosa e sábia fazia em meu consultório?

Ela estava viúva há alguns anos, mas, novamente apaixonada, queria algumas orientações visando se preparar para este momento. Era uma noiva feliz e ansiosa, que desejava se preparar física e emocionalmente para mais um dia especial.

Agora, convido você a parar e refletir sobre esta afirmação: se não sabemos quanto tempo ainda estaremos vivos, devemos transformar cada momento e tempo que nos resta em oportunidades únicas, pois viver o presente é o que realmente importa. Isso faz sentido para você?

Pense sobre o seguinte: se você tivesse somente mais um dia, uma semana ou um mês de vida, o que faria com este breve tempo que lhe resta?

Registre a seguir essas reflexões:

_____
_____
_____
_____

A alma não se aposenta nem envelhece

Você já pensou sobre o quanto é privilegiado aquele que consegue se aposentar de forma planejada, para se manter ativo, saudável e feliz nesta fase em que contamos com mais tempo para realizar sonhos e metas antes postergados?

Muitos chegam a esse estágio da vida sem perceber que envelheceram, pois, até o momento de se aposentar, sempre se mantiveram ativos e ocupados com o exterior. No instante seguinte, quando se afastam de sua rotina de uma vida inteira, com o corpo ainda saudável e a mente ativa, nem se sentem idosos. E este é o momento certo para repensar sua vida, ressignificar e buscar novas formas de viver.

Até poucas décadas atrás, o ato de se aposentar significava se preparar para esperar a morte. Hoje, com a proposta de idosos longevos e saudáveis, as pessoas começam a se preparar para finalmente viver! A razão é simples: a alma não envelhece nem se aposenta, portanto, é hora de aliar todo o poder de ser *jovem de espírito* à experiência e à maturidade dos anos bem vividos – até porque envelhecer com saúde está em nossas mentes e corações, basta decidir.

Então, ao sair do mercado de trabalho, devemos seguir um novo caminho de despertar, com alegria e entusiasmo, voltando-nos para as inúmeras possibilidades que a vida descortina. Um exemplo? Que tal iniciar uma nova atividade que seja também uma fonte de renda? Sempre é tempo de ser aquilo que a vida cotidiana não permitiu, desenvolvendo seus dons através de um hobby produtivo e realizador. São muitas as histórias de idosos que, após se aposentarem, seguiram uma segunda profissão e obtiveram êxito e retornos financeiros inesperados, apenas fazendo o que gostam, sem os *tens quê* que a vida impõe a quem tem filhos e família para sustentar na juventude.

Buscar grupos de pessoas envolvidas com sua espiritualidade e conexão com o mundo sutil também é essencial, pois esse é um meio excelente de se autoconhecer e seguir evoluindo. Planejar viagens, realizar sonhos antigos – mesmo os mais malucos, pois agora é a fase do *tudo pode* – enfim, exercer a sua liberdade de fato, sem culpas e empecilhos pessoais e familiares, é um dos grandes prazeres que você pode e deve se conceder na terceira idade.

> **Que você não seja um aposentado que não tem o que fazer, mas também que não seja totalmente aturdido e ocupado com atividades que não lhe competem mais, deixando-o sem tempo para ser um idoso livre e feliz.**

Convido-o, querido leitor, a registrar no espaço a seguir quais são os hobbies que você deixou de lado ao longo da vida e que gostaria de retomar. Elabore essa lista com carinho e sinceridade, e tome-a como um incentivo para recomeçar a fazer as coisas que gosta.

❀ _____
❀ _____
❀ _____
❀ _____
❀ _____

Relacionamentos felizes e fluidos entre os idosos e seus familiares

Certa vez, atendi um casal de idosos aposentados que planejavam arrumar sua casa, trazendo maior conforto para esta fase de suas vidas, mas ultimamente tinham que ir postergando, pois sempre havia um filho ou neto que necessitava de ajuda. Eugênia e Afrânio ficavam felizes por serem úteis, mas foram deixando suas próprias coisas para mais tarde, como aquela viagem sonhada, o vinho mais caro que apreciavam, um jantar fora com amigos, saídas mesmo que curtas de final de semana, entre outras concessões, porque parte de suas aposentadorias e poupanças era amorosamente destinada para filhos e netos, com alegria e desprendimento. Sem falar das inúmeras noites e finais de semana que passavam cuidando dos netos, para que os filhos pudessem sair e se divertir.

Claro que eles se sentiam amados e importantes realizando todas essas ações e doações, porém, o tempo passou e os dois, já com idade avançada, não conseguiam mais cuidar dos netos e gastavam mais em medicamentos e cuidados com eles próprios. Os empréstimos foram reduzindo e algumas vezes se invertendo: a necessidade agora era deles de serem ajudados. E foi neste momento que aconteceu algo incrível: os netos não tinham mais tempo para visitar a casa dos avós, os filhos, por sua vez, tinham tantos compromissos e estavam tão preocupados com os gastos extras com os velhos pais, que não tinham mais cabeça para passar um tempo de qualidade ao seu lado.

A casa apresentava algumas goteiras que ao longo dos anos não foram corrigidas, o fogão estava velho e com problemas nos botões de acendimento, gastos pelo uso contínuo por mais de 30 anos, alguns utensílios elétricos como liquidificador, estavam há algum tempo queimados, a geladeira não gelava direito por ser muito antiga. Eugênia e Afrânio foram baixando o nível de cuidados e de vida, inclusive nas compras de alimentação e remédios, comprando apenas o estritamente necessário. Os filhos, ocupados com suas vidas familiares e profissionais, cada vez menos tempo tinham para visitar seus pais. O final dessa história, você tem a liberdade de concluir, pois essa trajetória de vida é muito comum entre idosos do mundo todo.

O que eu desejo apontar com esse exemplo é que deve haver um olhar amoroso e lúcido sobre as relações familiares entre pais e filhos, para que ambos os lados assumam suas devidas responsabilidades e sejam capazes de levar sua própria vida. Muitas vezes será necessário reconsiderar decisões anteriormente tomadas, reajustando posturas e mudanças, tanto no ambiente físico do idoso, quanto na forma de conduzir suas escolhas – sem jamais deixar o respeito e o amor de ambas as partes de lado.

O importante é que você compreenda e aproveite a sua liberdade para ser e *decidir*, sem mais precisar se preocupar em cuidar dos filhos, mas apenas de si próprio.

Essa situação pede um novo olhar sobre nossa faixa etária, agora com a perspectiva de ser um idoso longevo e saudável, não mais um projeto provisório, tipo: "Enquanto vovô ou vovó estiverem vivos". São muitos os idosos que vêm conversar comigo, preocupados por terem se dado conta de que existem alguns planos na família em "compasso de espera" para quando o vovô ou a vovó não estiverem mais presentes neste plano. Foi dentro desse contexto que um senhor muito divertido e lúcido me procurou:

"Ligia, vi um vídeo seu que falava em deixar de ser um peso, um problema, um ser presente no ambiente familiar, mas que já não faz parte do cotidiano dos filhos e netos. Eu me identifiquei, sim, pois sinto que, cada dia mais, minhas pequenas dificuldades de locomoção, o incômodo que sinto com o som alto do meu neto, minha vontade de ficar mais quieto e silencioso, apreciando minhas leituras e descanso, atrapalham a rotina do resto da família. Então, como não pretendo partir logo, e quero sim cuidar mais de minha saúde, desejo encontrar uma forma de me relacionar com eles de forma harmoniosa, respeitando os meus limites e os deles."

Pois bem, existem centenas de situações e formas de se relacionar dentro da família nessa faixa etária, mas uma coisa precisa ficar clara desde o início: a sua liberdade de escolha deve ser preservada.

Outro aspecto importante é refletir sobre o seguinte:

❁ Como foi seu temperamento durante sua juventude?

❁ Como está sua postura diante da vida, agora que já está na fase de ir se tornando idoso, ou mesmo se já estiver na terceira idade?

❁ Como é sua forma de se relacionar com familiares e amigos?

Por que pergunto isso?

Como gerontóloga que trabalha com idosos há mais de 30 anos, posso garantir que o simples fato de envelhecer pouco muda aquilo que a pessoa vinha sendo em sua vida. O que ocorre é que alguns traços de caráter se intensificam, potencializam suas manifestações, mas nada além disso. Dificilmente você irá mudar radicalmente sua forma de ser apenas por ter chegado à terceira idade. Por exemplo: se você sempre foi uma pessoa alegre, de bem com a vida, amorosa e tranquila, com o passar dos anos essas atitudes tendem a se intensificar, assim como aquele que foi sempre contestador e briguento será um idoso ainda mais ranzinza e mal-humorado. E isso tudo deve ser avaliado na hora de decidir onde morar, com quem morar e como organizar o dia a dia. Pensando nisso, sempre que possível, prefira morar sozinho ou em um espaço anexo e ao mesmo tempo isolado do contexto familiar diário, preservando a privacidade de todos.

Tenho convivido com idosos bem resolvidos que escolheram viver sozinhos ou com sua(seu) companheira(o) de uma vida toda em suas próprias casas. Outros optaram por viver em casas e comunidades de idosos, onde dificuldades, interesses e formas de bem viver são semelhantes, assim, compartilham das mesmas comodidades, cuidados com a saúde e atividades de lazer. São idosos ativos, felizes, saudáveis, espiritualizados e fortes candidatos a serem longevos. Existem ainda os idosos lúcidos, mas com alguma dificuldade e/ou dependência física, que podem ser cuidados e amparados sem perderem sua liberdade de ser e viver. Assim, são independentes, decidem suas vidas, viagens, compra de carro, mudança de moradia, formas de lazer e amigos, sem depender da opinião dos filhos e netos. Mas sempre gostam de consultá-los, bem como de serem comunicados sobre decisões importantes na família, respeitando o processo evolutivo e o momento de cada um.

No entanto, não podemos ignorar que, para intensificar certas situações e diferenças de pensamentos, gostos, atitudes e manias entre gerações, eclodiu o mundo digital, que definitivamente veio para ficar, dificultando ainda mais o contato físico através do olho no olho, do diálogo, e mesmo de um beijo e um abraço, tão importantes para nós, idosos.

Essa tecnologia não fazia parte do nosso cotidiano até pouquíssimo tempo atrás, e de repente tudo veio e aconteceu muito rápido, criando um abismo entre a nossa geração e a dos nossos filhos e netos. O diálogo ficou reduzido a carinhas nas redes sociais, que muitos idosos mal sabem manusear – alguns nem possuem celular, computador ou tablet. É um universo de teclados que nem todos conseguem dominar, levando ao sentimento de incompetência, isolamento e abandono.

Certa vez um idoso de 87 anos resumiu a situação da seguinte maneira:

"Meus filhos e netos me dão bom dia e boa noite com imagens pré-fabricadas, nem se dão ao trabalho de escrever ou me ligar, sinto uma total falta de amor e interesse comigo. Sei que eu é que tenho que aprender que as coisas mudaram e não vão ser mais como antes, mas como lidar com esse sentimento de não ser mais importante para eles? Não estou fazendo drama, não, eles realmente só me ligam se sabem que estou com algum problema e posso adoecer. Isso mesmo: ficar doente é uma forma de ter a atenção deles, mas eu não sou nem estou doente, apenas carente de carinho e presença."

Na verdade, esse sentimento de exclusão sempre existiu, mas agora vem aumentando, pois os filhos e netos estão cada vez mais distantes, desligados e desatentos sobre a nossa presença;

suas faces estão totalmente voltadas para a telinha, suas vozes já não são mais ouvidas, a não ser quando dizem "Espera um pouco, vô, já vejo o que você quer".

Porém, não podemos cair na tentação de fazer drama; precisamos encontrar um equilíbrio, um caminho do meio. A evolução tecnológica é inevitável, o ato de falar e ser ouvido está se reduzindo a áudios e dedos rápidos no teclado, rindo e falando com a telinha. Também é inegável nossa necessidade de falar pessoalmente, de narrar os fatos que vêm à nossa memória, de dar nossa opinião e sermos ouvidos, considerados – e não ignorados.

Então, fica meu convite para você: vamos nos reinventar, aceitar e aproveitar as coisas boas dessa nova era e ao mesmo tempo manter nossa essência e autoestima, pois a sedução que os jovens sentem pela tecnologia não anula o amor que sentem por nós. Até porque inúmeros idosos já aprenderam a usar os eletrônicos e se tornaram "viciados" em entrar nas redes sociais. Estão felizes, atualizados e cada dia mais entrosados com amigos e familiares. Inclusive, está surgindo uma nova geração de idosos aposentados que se voltam para as inúmeras possibilidades de retornar ao mundo do trabalho através do meio digital. Ou seja, basta nos abrirmos para o novo para enxergarmos seus benefícios.

O mundo mudou e nós continuamos vivos, e que bom que estamos vivos! Nossos problemas, inquietações e desejos são nossos, de nossa fase de vida. Os mais jovens têm outras prioridades – e está tudo certo. Também por isso é importante continuarmos em busca de evolução espiritual, procurando criar nossos grupos de afins, com as mesmas expectativas e sonhos. Isso nos deixará tão felizes e ocupados, que deixaremos de cobrar presença e atenção.

E agora uma provocação: na nossa juventude, será que dedicávamos nosso tempo a conviver com nossa família? Será que, de alguma forma, nós também não éramos distantes de nossos pais e avós?

"Quarenta anos é velhice para a juventude, e cinquenta anos é juventude para a velhice."

Esta frase do escritor Victor Hugo é de uma disfarçada ironia, pois tudo depende do ângulo e do tempo e lugar de onde estamos olhando. Portanto, a empatia, o colocar-se no lugar do outro, é que irá determinar nossa evolução dentro dos relacionamentos.

Patrícia Cândido, em seu primeiro livro, *Grandes Mestres da Humanidade – Lições de Amor para Nova Era,* afirma o seguinte:

"Cada ser tem um tempo para se transformar, como o avô que observa seu neto. Hoje ele é avô maduro e experiente, mas nunca esquece que um dia já foi criança e por isso não exige que o neto entenda ou sinta o que é tornar-se avô."

É incrível a sabedoria e o respeito do avô para com o neto, e essa ação compassiva e compreensiva é um dos nossos desafios como idosos atualmente. Nesse processo, é fundamental cultivarmos nossa autoestima, o que permitirá respeitar as escolhas de cada um e nos dará coragem e autenticidade para seguir em frente apesar de muitas vezes não sermos compreendidos, pois a vida bem vivida e livre nos leva a ter uma maior compreensão e amadurecimento.

Para finalizar esta seção, convido você a meditar sobre como está se relacionando consigo mesmo. Para tal, você deve mergulhar fundo, sem explicações ou desculpas, apenas olhando realmente como andam suas posturas e sua autoestima. Vamos lá?

Estar no lugar certo, na hora certa, tem muito a ver com estar corretamente conectado com o lado positivo da vida: como tenho vibrado em meu cotidiano até este momento?

_____

_____

Muitas de minhas angústias e ansiedades vêm me sinalizando que tenho que ir fundo e enfrentar minhas sombras, buscar minhas verdades: o que tenho feito realmente para limpar meus porões, para ser mais autêntico e feliz?

_____

_____

_____

Estou percebendo que devo parar de olhar para os lados e me comparar; eu sou único, e meu amadurecimento vem de minha autoaceitação: como posso, a partir de hoje, me olhar com carinho e compaixão e me programar para um processo tranquilo de mudanças, sem cobranças, mas indo adiante?

_____

_____

_____

Estou tentando perder a necessidade de controle, de querer que todos façam aquilo que eu quero e espero: o que posso começar a realizar em minhas atitudes e posturas para respeitar as decisões e opiniões dos outros, sem me envolver?

_____

_____

_____

Tenho buscado me afastar de pessoas e situações que me jogam para baixo. Agora sei que essa atitude não é ser egoísta, mas sim preservar minha paz interior. Que pessoas e situações, a partir de hoje, eu poderia evitar na busca de mais paz interna?

_____

_____

_____

Aprendi que, para ter mais tempo livre para minhas buscas de evolução espiritual, tenho que começar a simplificar minha vida: o que posso fazer para ter mais tempo para fazer o que gosto, dentro de meu próprio ritmo, sem atropelos e ansiedades?

_____
_____
_____

Estou na fase de parar de ficar revivendo o passado, ou de me preocupar com o futuro. Tenho que aprender a me manter no presente, que é onde a minha vida acontece: como posso, a partir de hoje, realmente viver um dia de cada vez, sem expectativas que me deixem ansioso?

_____
_____
_____

Após responder a esses questionamentos, você estará mais livre e leve para entrar no próximo assunto, que tem tudo a ver com este momento de idosos felizes, ativos e longevos.

Amor e sexo não têm idade: uma convivência saudável a dois

> *"Os que amam profundamente jamais envelhecem; podem morrer de velhice, mas morrem jovens."*
> Martinho Lutero

Amar não tem limite de idade, e o sexo pode continuar fazendo parte da vida de casais já maduros. Nessa fase da vida, o contato íntimo ganha novo formato, com diferentes maneiras de ser usufruído, exigindo mais diálogo, abertura, leveza e compreensão.

Neste momento afetivo de uma vivência saudável a dois, a ternura, o toque, o beijo e as carícias não precisam ser deixados de lado, pois a intimidade entre duas pessoas que se amam deve despertar sempre desejo, não importando as dificuldades físicas apresentadas, sejam elas para ereção ou para o orgasmo. Nesta etapa da vida, a química do prazer, do sentir as sensações físicas, é muitas vezes delineada por carícias e toques, românticas declarações apaixonadas, ou mesmo pela simples plenitude de estarem juntos compartilhando uma intimidade amorosa. Tudo isso independe de relação sexual com penetração.

Este é o momento do casal se reinventar, com diálogos francos e sinceros, cheios de leveza e despidos daqueles pudores e tabus que muitas vezes acompanham as relações conjugais por uma vida inteira.

No consultório, recebo frequentemente casais de idosos que vêm conversar sobre separação ou que buscam uma nova chance de reconsiderar a possibilidade de continuarem juntos. Na maioria das vezes, por trás das queixas e mágoas de ambos os lados, percebo a existência de uma vergonha ao falar aberta e francamente sobre falta de libido, sobre não ter mais vontade de manter uma relação sexual, ou mesmo, por parte dos homens, uma crescente dificuldade de manter uma ereção com a mesma potência de outrora — e isso para eles é muito difícil de lidar e aceitar. Tais fragilidades são naturais e de muitas maneiras contornáveis, sem levar ao afastamento do casal e à redução de gestos de intimidade que antes eram mais costumeiros na rotina do casal.

As expressões de carinho, afeto e atenção, se não forem cultivadas no cotidiano, em poucas semanas são substituídas por um esfriamento de gestos, olhares e atitudes de cuidado recíproco, que vão se tornando escassas. E isso não acontece somente com idosos. Atendo jovens casais que há muito tempo perderam o hábito de se olharem com ternura, de se beijarem algumas vezes durante o dia, de se tocarem. E desse distanciamento surgem mágoas, sentimentos de abandono e de vazio afetivo, manifestando-se em indiferença.

Por vezes, me dizem com tristeza: "Ah, Ligia! Mas eu cansei de pedir um beijo, de abraçar, de elogiar, de ir atrás e manifestar meu afeto. Parei, e agora fico esperando por um gesto que não mais acontece. Fico triste, com raiva, agrido, e o pior é que, com tudo isso, mais e mais temos nos afastado."

Sempre recomendo: nunca desista de ser amoroso, nunca deixe de fazer a sua parte e demonstrar afeto e amor. Falo isso por experiência de longos anos, pois casei com um homem que vinha de uma família em que essas demonstrações de afeto não eram estimuladas; beijar e abraçar em público era até considerado exibicionismo. Sofri muito, dentro de minha imaturidade dos primeiros anos de juventude, pois eu era de uma família beijoqueira, carinhosa, que abraçava muito e que dizia sempre eu te amo. Claro que houve um embate. Depois aprendi que as tradições familiares existem, mas, com o tempo e convivência, nada é para sempre. Hoje, tenho um marido carinhoso, atencioso, que me mima muito (até demais, segundo meus filhos – mas eu não acho, prefiro assim), e sim, ainda nos beijamos em público, mesmo sendo idosos.

Sempre me lembro de um senhor que veio ao meu consultório, por indicação de um amigo, para trabalhar tristeza e depressão. Após 15 minutos de terapia, a conversa desviou-se para uma infinidade de reclamações sobre sua companheira – que não se arrumava, passava o dia inteiro em casa de pijama e roupão, fazia tudo com desânimo e não tinha mais vontade de sair e passear com ele; ela se esquivava de carinho e gestos de afeto, como um beijo ou um abraço mais longo, dormia cheia de cremes, toda lambuzada, e por isso dizia que não era possível dar um beijo de boa noite. Nem preciso mencionar que a vida sexual há muito tempo havia esfriado, para não dizer se encerrado. Ele mesmo vinha já há alguns anos tendo problemas de ereção, enquanto ela ficava impaciente, e assim não conseguiam manter uma relação igual à do passado. Como nunca tiveram o hábito de conversar sobre "esses assuntos", foram tacitamente esfriando e parando com toques, beijos e qualquer manifestação de carinho.

Resumindo: o problema desse casal não era somente o envelhecimento, mas vinha se arrastando há mais de 40 anos, em um casamento sem diálogo, em que ela nunca tinha tido orgasmos – fingia com gemidos e carícias rápidas, para que a relação acabasse logo e ela pudesse dormir. Ela amava o marido, mas nunca tinha tido uma orientação sexual e nada conhecia sobre o assunto, apesar de terem já cinco filhos adultos e casados. Ela continuava a amar seu marido, mas não queria mais sexo, e as manifestações de afeto a deixavam tensa, ansiosa.

Foram em busca de médicos profissionais, como ginecologista e urologista, ela fez reposição hormonal e psicoterapia, ele também fez tratamento hormonal, mas não quis terapia. Ao final, voltaram mais uma vez ao consultório, dessa vez de mãos dadas, e agora para conversar sobre problemas com filhos e noras. Falaram juntos que o relacionamento estava divertido; se olharam felizes, afirmando: estava tudo maravilhosamente bem. Ela corou e disse que até orgasmo tinha tido, pois agora já conversavam e ela havia lhe apresentado seu clitóris, que ele nem sabia que existia – e olha que tiveram cinco filhos.

Essa é uma história com final feliz, com tratamentos que deram certo. Nesse contexto, a terapia de casal estimula a desinibição e o diálogo aberto e franco. Na verdade, muitas vezes o casal não necessitaria de um terapeuta, apenas de uma conversa sincera sobre suas dificuldades e preferências. Por meio de um diálogo livre de vergonhas e medos de magoar o parceiro, ambos podem encontrar juntos inúmeras formas de continuar sendo felizes em sua intimidade, mesmo com pequenos empecilhos advindos do processo normal de envelhecer.

Esse tema é comum entre os idosos no meu consultório, e é incrível como a terapia de casal rejuvenesce e eles retomam a felicidade, como pombinhos apaixonados. Eu amo esse tipo de atendimento, fico muito feliz com a felicidade deles. Sempre digo para meus filhos e netos: uma dose de romantismo faz toda a diferença na vida de um casal. Dar e receber flores, bombons e outras atitudes carinhosas mantêm acesa a chama de um relacionamento a dois.

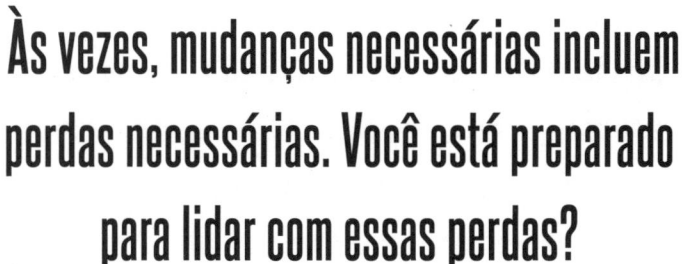

Às vezes, mudanças necessárias incluem perdas necessárias. Você está preparado para lidar com essas perdas?

Muitos idosos foram tão felizes no primeiro casamento que, após a viuvez, não sentem vontade de entrar em um novo relacionamento. Se surgem algumas oportunidades, criadas por familiares e amigos, sempre estabelecem comparações, e a vida anteriormente vivida a dois se impõe em lindas lembranças. Essa pessoa que perdeu o parceiro pode optar por viver só – não há problema nessa decisão. Apenas deve haver o cuidado de encontrar outro sentido de vida e metas a serem realizadas.

Também existem pessoas que não conseguem viver a solidão e o vazio de presença afetiva – vale lembrar que um dos fatores que aceleram o processo de envelhecimento é a solidão. Por isso, tenho acompanhado idosos viúvos que querem refazer uma vida a dois e buscam trabalhar culpas e outros sentimentos, às vezes advindos de familiares que, por ciúmes, não gostariam de ver um de seus pais refazendo a vida com outra pessoa após algum tempo de viuvez. Isso é muito pessoal, é uma decisão única e exclusiva do idoso, com suas expectativas e sonhos de retomar sua vida afetiva.

Na verdade, nunca é tarde para amar. Começar um relacionamento mesmo após os 60 ou 80 anos é possível e saudável. O simples fato de se dar uma nova oportunidade afetiva rejuvenesce, podendo fazer tão bem e mexer tanto com o emocional, que aumenta as endorfinas e serotoninas como se fosse um amor da juventude.

Para muitos idosos, será a primeira vez que serão verdadeiramente felizes em uma relação, pois a libido do idoso não tem idade-limite para se manifestar. Na maioria das vezes, tudo ocorre de forma mais lenta e menos intensa, mas sempre com amor e diálogo. Muitos encontram plenitude e maior prazer sexual nessa fase da vida. Diversos casos de impotência, frigidez e ressecamento vaginal têm tratamentos clínicos que auxiliam na manutenção de uma relação sexual prazerosa e saudável.

Também há aqueles que, neste momento de intimidade, por uma dificuldade de um deles, ou mesmo dos dois, optam por continuar uma vida a dois compartilhando a mesma cama, tomando banho juntos, vivendo toda uma intimidade de afeto e carinho, sendo imensamente felizes, companheiros e realizados, sem sentirem a necessidade de terem relações sexuais. O que oriento é que tenham um diálogo franco, sem sentir vergonha de falar de suas dificuldades e ansiedades, pois somos de uma geração em que a palavra tabu era muito forte e presente.

Recomendo que nutram e mantenham bem presentes essas expressões e gestos afetuosos, pois no cotidiano muitas vezes vão perdendo o hábito de beijar, dar carinho e atenção, tocar com prazer, sentir pele com pele – essas sensações devem ser mantidas e incentivadas. Dormir de conchinha, abraçadinhos, olhar e perceber o outro, elogiar, manifestar o amor com palavras e gestos inusitados são ótimas formas de nutrir essa relação.

Tudo bem envelhecer, mas manter-se vivo e romântico é para sempre. Esse é o tempero que vemos em alguns idosos que têm brilho no olhar e sorriso conspiratório entre os parceiros.

E tem algo mais que considero importante: que gostem muito de conversar um com o outro, que sejam amigos íntimos para dividir tudo que sentem. O diálogo franco e a parceria são essenciais nessa fase da vida.

Até pouco tempo atrás, pessoas idosas se sentiam fadadas à solidão após a morte ou separação do cônjuge, mas hoje cada vez mais é vislumbrada a possibilidade de refazer sua vida e ser feliz depois de anos de dedicação e vida como casal, surgindo e sendo aceito com naturalidade o namoro nessa faixa etária. Essa nova relação pode ser configurada de mil formas, de acordo com os interesses, sentimentos e decisões dos envolvidos, ou seja, daqueles que resolveram se dar uma nova oportunidade e voltar a amar.

Dentro desse contexto, surge inclusive a oportunidade de encontrar sua alma gêmea entre pessoas do mesmo sexo, não apenas em relações heterossexuais. É lindo acompanhar essas novas formas de amar e compartilhar uma vida a dois; o importante é deixar os tabus e preocupações com "o que os outros vão pensar e falar". O que importa é se permitir ser integralmente feliz e pleno.

Há ainda aqueles que querem apenas uma pessoa para conversar, sair e jantar fora, ir ao cinema e teatro. Alguns manifestam que gostariam de ter uma companhia para viajar, outros querem um relacionamento mais efetivo, morar junto, dividir sua vida e intimidade, enfim, os relacionamentos e reencontros de idosos acontecem de inúmeras formas.

O importante é que a base de tudo seja a maturidade, e quando tudo isso é observado, ocorrem grandes acertos de intimidades e formas de familiaridade entre as pessoas que estão realmente comprometidas e prontas para recomeçar, pois, como já afirmei, amar não tem idade.

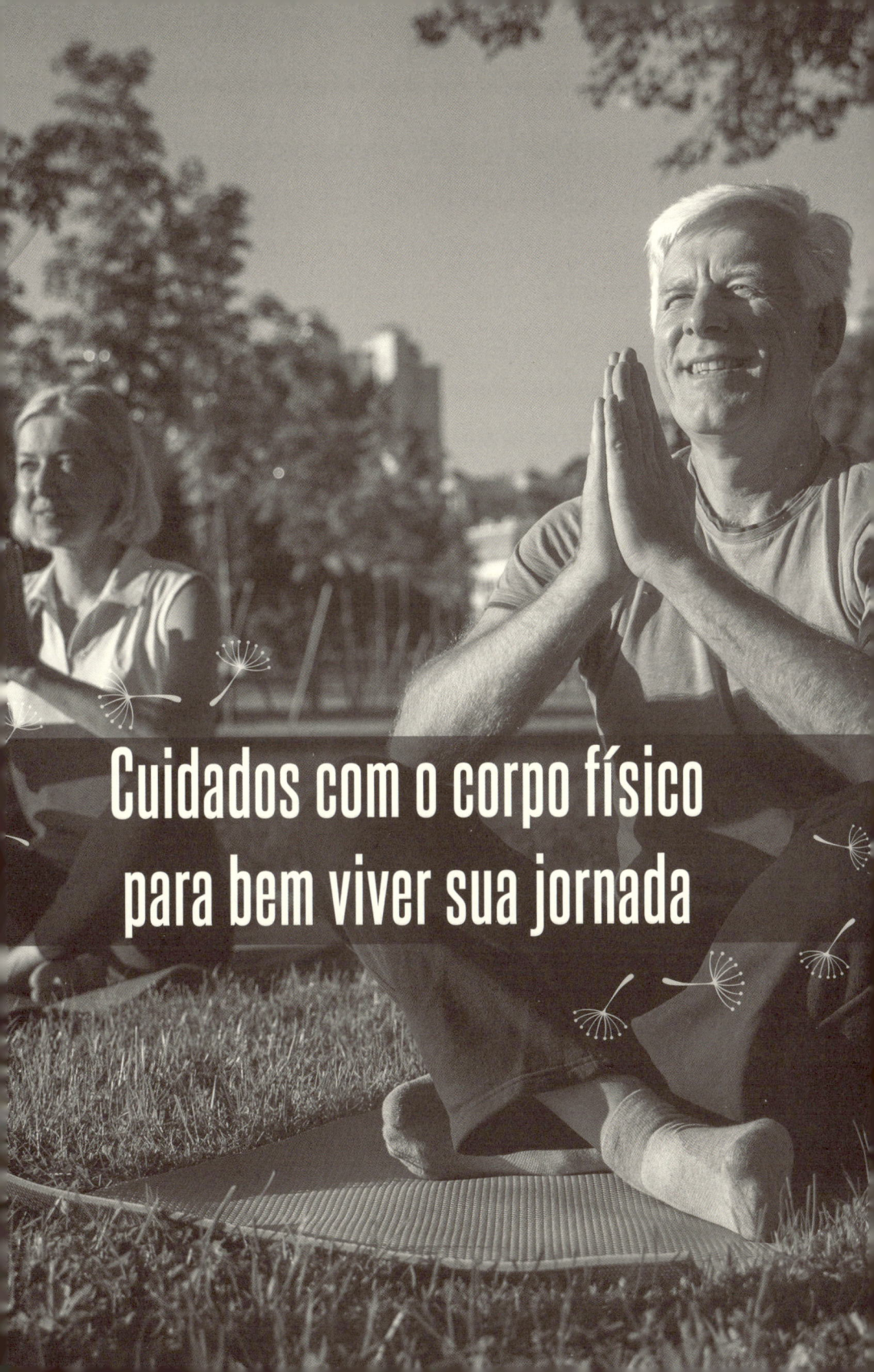

Cuidados com o corpo físico para bem viver sua jornada

Todos sabemos – e já existem comprovações para os que delas necessitam – que somos um espírito ocupando um corpo físico. Assim, a trajetória de vida dessa alma dependerá de como o seu veículo é cuidado e conduzido ao longo da sua caminhada humana na Terra.

Vamos despertar uma especial atenção para o tesouro que é o corpo físico, detalhando todos os cuidados necessários para que a alma que nele habita tenha todas as condições plenas de ir e vir com liberdade, flexibilidade, energia vital, saúde e alegria.

O uso abusivo de medicamentos diversos, incluindo aqueles para aumentar a potência sexual, vai criando dependência química, ocasionando o surgimento de múltiplas doenças por efeitos colaterais, sem falar nos perigos da automedicação. Como muito bem afirma Bruno Gimenes:

"Remédios não curam as dores da alma"

Portanto, o caminho para a longevidade passa por exercícios físicos, cuidados com a parte estrutural da pele, tecido conjuntivo, músculos e ossos, pelo bom funcionamento de todos os órgãos, pelo estabelecimento de um programa mínimo e factível para manter a saúde, com alternativas e possibilidades para cada caso e estágio do corpo.

Claro que as atividades físicas nessa faixa etária necessitam de um acompanhamento especializado. Muitos idosos que nunca foram afinados com essas posturas na sua juventude agora encontram um motivo ou desculpa para deixar para mais tarde, para outro dia talvez... Mas meu avô sempre dizia: *Velho que não anda, desanda.*

Tenho acompanhado idosos que, além de fazer caminhadas diárias, realizam alguns exercícios para alongamento e mobilização das articulações. E assim, com esse mínimo realizado, já conseguem manter um bom equilíbrio energético e funcional do corpo físico. O importante é ir devagar e sempre: o ato de se movimentar deve ser diário.

Também não posso deixar de relatar e valorizar aqueles idosos que cuidam de forma constante de seu corpo físico, com atividades de musculação, caminhadas e alongamentos orientados. Estes com certeza terão maior e melhor frequência cardiorrespiratória, mais força muscular, energia e vitalidade. Nestes anos todos trabalhando com gerontologia, pude perceber que todos os idosos que se envolvem com muito cuidado, persistência e afinco em várias atividades físicas, de forma a se complementarem, têm uma alegria inerente e energia vital incrível, além de imunidade alta. Além disso, estão sempre sorrindo, felizes e de bem com a vida, o que está relacionado ao maior aporte de endorfinas e serotoninas que são secretadas durante as atividades físicas.

Por outro lado, muitos idosos afirmam que não conseguem meditar, pois doem os joelhos e o pescoço se ficarem muito tempo imóveis. Pergunto: para meditar sempre necessitamos dessa imobilidade? Já acompanhei pessoas que meditam trabalhando, realizando atividades manuais, cuidando de um jardim ou horta e até caminhando – tudo isso enquanto se entregam a longos diálogos internos, que também são uma forma de meditar.

Além disso, também recomendo a prática de yoga para os idosos, pois, além de salutares alongamentos, ela melhora nossas articulações e desenvolve os músculos, com movimentos suavemente repetidos e mantidos nas Asanas – termo que significa postura fixa, ou seja, cada Asana deve ser sustentada por algum tempo, tornando nosso corpo mais flexível e tonificado.

Ademais, práticas como pilates, natação, hidroginástica, Tai Chi-Chuan e outras artes marciais vão tornando o corpo do idoso mais jovem e flexível. Muitos de seus exercícios enfatizam a saúde da coluna vertebral e suas articulações, aumentando sua força e flexibilidade, uma vez que a coluna vertebral abriga o sistema nervoso, que é o sistema de comunicação do corpo. Um idoso que mantém sua coluna forte e flexível, pelo movimento e contrações musculares que realiza, terá um aumento da circulação linfática, arterial e venosa, assegurando o fornecimento de nutrientes e oxigênio a todas as partes do corpo.

Existem inúmeros trabalhos e pesquisas sobre o idoso e o movimento. Quanto mais nos desenvolvermos nesse aspecto, maiores as possibilidades de saúde e longevidade. Assim, são válidas as caminhadas – curtas, médias e longas – sempre de acordo com as condições físicas de cada um. Vale lembrar que, por mais que você se apresente com muitas dependências e rigidez, sempre existe a possibilidade de fisioterapia e recondicionamento físico, revertendo qualquer quadro de imobilidade.

Os casos de superação de limites são cada vez mais frequentes. É lindo ver um idoso voltar a andar, deixar as bengalas e os andadores de lado, sair da cadeira de rodas e passar a se deslocar de muletas, voltar a bordar, fazer o crochê que a artrite não mais permitia. São muitas as histórias comoventes proporcionadas por equipes multidisciplinares que, atuando em conjunto, realizam verdadeiros milagres com essa faixa etária.

Também temos que considerar a conexão fluídica e vibracional do corpo sutil, onde habita nossa alma, em conexão através dos chacras, atuando em sinergia com o coração, o timo e a pineal – que estabelece as conexões extracorpóreas durante a vida toda, ou seja, as capacidades naturais a qualquer ser humano, como intuição, telepatia, clarividência e muitas outras.

Envelhecer com dignidade e liberdade para fazer suas escolhas

IDOSOS E ESPIRITUALIDADE

Envelhecer com dignidade é fazer suas escolhas sem censuras ou cobranças, se permitindo ir além, sem se preocupar com a opinião dos outros, decidindo suas opções e preferências, usando cor e roupas sem combinar se assim quiser, além de dizer não quero, não gosto, enfim, permitir-se ser da forma que o faz se sentir feliz e livre, sem dar satisfações sobre suas decisões.

Quando crianças, as decisões sobre nossa vida, o que vestir e o que comer cabiam aos nossos pais. Alguns afirmam que, quando chegamos nesta faixa etária denominada terceira idade, voltamos para a primeira idade, apenas invertendo o comando: agora quem manda na vida dos idosos são os filhos. Ou seja, além das perdas intrínsecas da idade, muitas vezes perdas de saúde, de parceiros, de uma vida toda, ainda precisamos lidar com os filhos querendo ditar e decidir por nós o que eles julgam ser o melhor para nossa vida.

Eu poderia fazer um capítulo inteiro sobre histórias que, na sua grande maioria, não deram certo, terminando por antecipar o óbito de idosos que perderam o poder de decidir suas formas de viver. Atenção! São pessoas idosas, e não objetos a serem colocados em determinados locais com formas pré-programadas de ser, viver, morar e se alimentar. Por isso, podemos e devemos cobrar de nossos familiares para que tenham mais sensibilidade e respeito conosco. A nossa liberdade de decidir deve ser sempre preservada e respeitada.

Por essa razão, são poucos os casos em que dá certo ir morar com filhos, noras, genros e netos. Não estou afirmando que é impossível, mas são muitas as histórias de idosos nessa situação de convívio familiar, que, para evitar discórdia, terminam por se anular, entrando em depressão e adoecendo. Morar perto, tudo bem, mas cada um com seu espaço e com a intimidade preservada.

Já atendi, por exemplo, uma filha que levou o *papai após ficar viúvo* para morar junto com sua família, dois filhos e genro. Ela veio ao meu consultório muito triste por ter descoberto que seu pai estava buscando um lugar para ir morar sozinho. Queria agendar um horário comigo para que ele fosse dissuadido, pois, segundo ela, ele tinha tudo em sua casa: comida, roupa lavada, enfim, ela não via motivo para esse seu comportamento, estava realmente sentida e magoada. Antes de agendar um horário com ele, pedi que ela me respondesse alguns questionamentos:

"Seu pai tem liberdade de usar o banheiro o tempo que quiser? Quando vai sair com amigos, ele tem que avisar, e ainda tem hora para voltar e dizer onde vai estar e com quem? E se não voltar, você fica telefonando? Seu pai tem espaço em sua casa para receber amigos, ficar jogando cartas, ou para conversar e tomar um vinho até tarde? E se ele tiver uma namorada, ele pode trazê-la para dentro de casa, para seu quarto?"

Eu ia continuar a fazer mais perguntas, mas ela, com olhos lacrimejando, me mandou parar, dizendo:

"Já entendi; de tudo que você perguntou, a maioria das respostas é não, ele não tem em minha casa essa liberdade e condição. Nossa, como eu estava cega e julgando mal meu pai!"

Resumindo: chegamos a essa faixa etária, somos idosos, e nossa busca é apenas e simplesmente pela felicidade. Buscamos ser leves e soltos, sem obrigações, sem nos afligirmos com a opinião dos outros, pois acredito que: *"Também é ser o deixar de ser, para agora ser outra pessoa."*

Sim, ser outra pessoa – que agora tudo pode, sem autocríticas e cobranças, com coragem para se afastar de relacionamentos tóxicos, priorizando-se sem culpas. Há muitos idosos que envelhecem cheios de remorsos, renunciando a tudo e até mesmo ao direito de serem felizes e usarem o que adquiriram em uma vida toda de trabalho, abrindo mão da qualidade de vida no seu envelhecimento.

Há idosos que, por motivos que fogem ao nosso julgamento e considerações, vão perdendo a energia vital muito cedo, ficando cada dia mais depressivos e dependentes, e não querem e não conseguem mais sair dessa situação, só pedem e esperam a morte chegar. Tenho atendido pessoas que não ouvem mais o que temos a lhes dizer, simplesmente desistiram. O lado cognitivo parece embotado, ficam alheios às conversas, pouco reagem a estímulos e perguntas. Muitos têm o diagnóstico de esclerose múltipla, princípio de Alzheimer, dentre outras denominações, mas fazendo alguns comandos e estímulos, percebemos que ainda existe um ser ativo dentro daquela aparente apatia, um ser que apenas perdeu o interesse e alegria de viver.

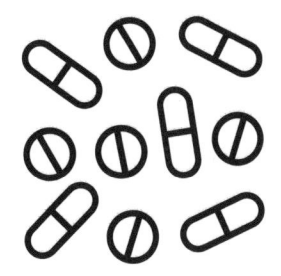

Vão se tornando, cada dia mais, verdadeiros receituários de medicamentos para dormir, para dor, para o coração, para os rins, para acordar, para comer ou reduzir a ingestão de alimentos, enfim, tudo que há muito já decidiram deixar de fazer. Então os médicos, numa última tentativa, utilizam os medicamentos como impulsionadores daquilo que eles já desistiram, em uma vida que não tem mais sentido. Vivem apáticos, vegetativos, esperando a morte chegar.

Para esses casos, ir a uma instituição de cuidados específicos, como casas de repouso, muitas vezes é necessário. Elas irão desempenhar um papel fundamental com cuidados e atenção continuada, desde fisioterapia, alimentação especial, atividades de lazer e estímulos à recuperação da cognição. Eles ainda podem ser pessoas capazes de realizar muito, por mais que a capacidade física e mental esteja momentânea e circunstancialmente limitada; com o tempo e a simples troca de ambiente e cuidados, os idosos podem voltar a ser ativos e participantes, voltando a ter prazer nas atividades que antes realizavam. Por isso, quando a perda física e cognitiva está bastante avançada, uma instituição com sua equipe multidisciplinar é a melhor opção para todos, idoso e familiares.

Porém, a família não deve apenas fazer visitas, deve se envolver com o idoso, tirá-lo do quarto, levá-lo para tomar sol, conversar, dar carinho, mostrar o quanto o ama e se importa. Perguntar e ouvi-lo relatar como está se sentindo, perceber seus medos e angústias, transmitir o sentimento em palavras, além de dizer ao idoso o quanto ele é importante, o quanto os familiares se sentem abençoados por poder contar com a sua presença, tomar suas mãos, beijar suas faces, dizer eu te amo.

Esse idoso mais dependente precisa se sentir acolhido e amado pelos familiares. Sempre que possível, deve-se tentar trazer as crianças e jovens para visitá-lo e ficarem ao seu lado, sem celulares, conversando de verdade, mostrando que estão felizes e presentes na vida daquele avô ou avó. Um dia, com sorte, todos vão envelhecer, e esse aprendizado desperta amor e respeito nas gerações deste milênio, que são seres amorosos e, se ensinados, com certeza irão corresponder com muito afeto e envolvimento.

Vale mencionar também o idoso ocioso, que tem grandes chances de se tornar triste e rabugento, que nada faz e só reclama o dia todo. Se estivesse ocupado com alguma coisa, seu humor e forma de vida seriam diferentes, mais úteis, e ele seria mais participativo e feliz. A situação do idoso, quando fica ocioso, se torna especialmente mais complicada para aqueles que foram na idade adulta muito ativos, participativos e altamente produtivos.

Esses idosos, quando param, sentem como se estivessem a morrer em vida, afirmando: *Já não sirvo para nada*. Muitos filhos de idosos sofrem ao ver esse quadro do envelhecer, sentem-se frustrados por não poderem ajudar ou reverter esse processo. O ato de envelhecer é progressivo e natural, mas as posturas que todos devem tomar em relação a esse momento é que farão toda a diferença na vida do idoso, principalmente demostrando o quanto ele é e continuará sendo importante para todos da família.

Não podemos mudar uma situação, mas podemos mudar a atitude que tomamos frente a ela. E tal atitude deve surgir de uma decisão sábia e respeitosa dentro desse processo chamado envelhecer com dignidade. Fazer suas escolhas e manter-se em atividade física e metal fará toda a diferença nessa etapa da vida.

Excelente exemplo desse envelhecer com alegria e lucidez é o poeta Mario Quintana, que viveu até os 87 anos. Tive a felicidade e o privilégio de compartilhar lindos e ternos momentos com ele, que viveu sempre de acordo com suas escolhas, feliz, leve e muito espirituoso. Solteiro e solitário por opção, passou grande parte de sua vida escrevendo frases de efeito, poemas e crônicas escritas com humor refinado e repleto de sutilezas.

Sempre lúcido, atento aos detalhes de tudo que passava ao seu redor, viveu como um colecionador de fatos e histórias do cotidiano, os quais escrevia de forma divertida. Na verdade, mais do que poesias, Quintana nos deixou profundas reflexões, falando, certa vez, sobre o tempo que passa, mesmo quando as preocupações tentam em vão estendê-lo um pouco mais.

Em seus livros publicados, muitas vezes escrevia textos com referência à velhice e à morte, explicando que o envelhecer está atrelado àquilo que construímos ao longo da vida e que nos representa, marcando nossa passagem pelo tempo. E dizia, sempre com muito humor:

❀ Percebi que estava ficando velho quando meus amigos se tornaram nomes de ruas...

❀ Com o tempo, não vamos ficando sozinhos apenas pelos que se foram: vamos ficando sozinhos uns dos outros.

❀ A morte é a libertação total: a morte é quando a gente pode, afinal, estar deitado de sapatos.

❀ Enxergar a morte como um fim temível ou como um perigo iminente só compromete a possibilidade de viver intensamente e acumular experiências.

Que possamos, assim como Mario Quintana, viver nossa terceira idade de forma lúcida, leve e divertida.

Para ajudar você neste caminho, o convido a ouvir e fazer a meditação guiada disponível por meio do QR Code a seguir. Aponte a câmera do seu celular para escanear a imagem do código ou baixe gratuitamente o aplicativo QR Code Reader.

O poder dos cristais e das plantas na rotina dos idosos

Os cristais e as plantas, que se encontram no planeta de forma abundante e generosa, se doam e transformam o nosso campo energético e os espaços naturais da Terra, podendo atuar positivamente na rotina dos idosos. Se, de alguma forma, nós, idosos, nos conectarmos com eles, teremos um maior aporte de energia vital e saúde.

O mais importante a ser considerado é que todas as pedras, seja um cristal precioso ou uma pedra rolada de rio, só vibram em altas frequências em ondas curtas, ou seja, só se conectam e passam energias elevadas e positivas com os sentimentos de amor, alegria, paz e harmonia; são seres de muita luz e poder. Quem tem frequências baixas, quem vibra dentro de emoções de medo, raiva e mágoa são os seres humanos, portanto, somos ainda seres em processo evolutivo. Daí vem a importância de nós, seres ainda buscadores, nos conectarmos e trazermos para nosso cotidiano esses entes iluminados que muito irão nos auxiliar nesse processo de evolução, pois ainda estamos vibrando na terceira dimensão, e com certeza o uso desses cristais irá nos auxiliar na passagem e preparação rumo a outras dimensões.

Para tanto, existem inúmeras formas de utilizar os cristais em nosso cotidiano enquanto idosos, explorando ao máximo seu biomagnetismo vibracional na busca do equilíbrio emocional, astral, espiritual e físico. Isso pode ocorrer por meio de uma decoração com pedras e drusas no ambiente doméstico e da colocação de um cristal embaixo do travesseiro, para um sono mais tranquilo e condução de sonhos e visualizações programadas. Também podem ser colocados no carro para ativar energias de proteção, ou junto ao corpo, como uma joia de poder intrínseco, para ancorar energias com vistas a uma determinada ação pontual. Há ainda as mandalas, que estimulam a criatividade e a leveza, assim como o uso de um cristal no terceiro olho, o que conduz a uma meditação ou visualização mais profunda. Para clarividência, usam-se bolas de cristal, e podemos preparar inclusive um elixir de cristais. Enfim, existe uma infinidade de usos e tipos de pedras.

A seguir, de forma didática e informal, apresento alguns cristais e sua ação terapêutica, já estabelecendo sua correlação com as frequências vibracionais energéticas das plantas, com seus aromas, florais, fitoterápicos e fitoenergéticos. Sua ação medicamentosa, que tipo de plantas ou ervas complementam sua ação e quais os aromas mais indicados, bem como seu uso correto, também são tópicos abordados na sequência.

Cristal translúcido, ou cristal de rocha, branco, incolor: é o mais conhecido e mais comum do planeta, por ser um dos primeiros a se formar. É chamado de cristal avô de todo o reino mineral. Reflete luz pura branca, que contém todas as cores, portanto, sua vibração poderosa tem muitas formas de aplicação. Agora, na Era de Aquário, momento planetário de alinhamento cósmico, as vibrações do dióxido de silício contidas nesse cristal serão muito utilizadas, pois são primordiais no processo evolutivo.

Os cristais translúcidos podem ser utilizados para ampliar a concentração em uma meditação, desenvolver a telepatia, aprimorar a intuição e realizar trabalhos energéticos especiais. Seu poder abrangente pode ser adotado em sessões de cura e equilíbrio, podendo ser aplicado em todos os chacras do corpo humano.

Para complementar sua ação, sugiro a combinação das seguintes plantas: calêndula, manjericão e ipê roxo, seja em chás, saladas ou tinturas, com dosagens específicas.

Para aroma, pode-se usar óleo essencial de camomila, cravo em botões e flor de laranjeira.

Ametista: é a pedra deste milênio, pois reflete a cor violeta referente ao 7º raio da egrégora de Saint Germain. É considerada a pedra que mais sintoniza com meditação e visualização dirigida.

Além disso, tem o poder de transmutar vibrações negativas em positivas, transformando uma realidade em outra bem mais sutil e harmoniosa, motivo pelo qual também é denominada a Pedra da Alma, pela forma como realiza o intercâmbio entre o corpo e as esferas mais sutis.

O silêncio e paz interna proporcionados por essa pedra facilitam a conexão com a glândula pineal e suas ligações extracorpóreas mais sutis: intuição, telepatia e clarividência. Auxilia muito nas perdas de entes queridos, pois traz paz e consolo, trabalhando o desapego emocional com a compreensão de que a morte é apenas uma passagem de um estado dimensional a outro.

Pode ser adotada como uma joia de poder em anéis, gargantilhas e pulseiras, vibrando junto à pele, ancorando energias benéficas e transmutadoras.

Uma planta compatível com a pedra ametista, com frequências altíssimas e muito benéfica em infusão, é a arruda, que pode ser usada em banhos ou colocada em uma vasilha de vidro no ambiente da meditação. Sua ação pode ser potencializada com chá de canela, gengibre e menta.

Como aromaterapia no ambiente, pode ser usada no spray de mirra com gotas de louro e sândalo.

Quartzo rosa: tem tudo a ver com a terceira idade, pois é a pedra ligada ao chacra do coração. Deve ser usada para intensificar a verdadeira essência do sentimento amoroso, pela sua frequência muito alta ligada às vibrações da energia mais forte do planeta: o amor. Ela tem o poder de promover equilíbrio e cura, além de desenvolver uma autoestima positiva, uma vez que o sentimento que muitas vezes acomete os idosos é o de solidão e inutilidade. A presença desse quartzo – seja como joia, seja como decoração no local onde mais permanecemos – faz com que nos sintamos bem em nosso interior, plenos e aptos para compartilhar a felicidade. Nesse momento, o idoso sai de sua apatia e inércia de se sentir abandonado e parte para uma ação doadora e amorosa, reprogramando o coração para se amar, se aceitar e se perdoar.

Quando adotamos um quartzo rosa junto com aromas de gerânio e flor de lótus, deixamos o ambiente doce e aconchegante, com um despertar de ação e sabedoria. Somado a um saboroso chá de capim-cidreira com pétalas de rosa e anis estrelado, surge a sensação intuitiva de que nada será como antes, mas sim cada vez melhor, agora com a poderosa energia desta pedra, que deve se fazer presente em todos os momentos de sua jornada de longevidade.

Quartzo verde: enquanto o quartzo rosa trata mais o emocional, o verde atua nos desequilíbrios físicos e sensoriais, equilibrando e retomando uma capacidade sensitiva mais clara e ativa. Isso se dá porque, com o passar dos anos, os sentidos físicos ficam enfraquecidos, e não necessariamente teria que ser assim. Com o uso e aplicação do quartzo verde, essa capacidade perceptiva sensorial volta a ser acionada e, mais ainda, agora com a sabedoria acumulada ao longo dos anos, originando a tão falada sabedoria dos idosos.

Por isso, o quartzo verde, que também está ligado ao chacra do coração, é indicado para terapias de cura, pois estimula a ação sensitiva, a visão, o olfato, a gustação, a audição e o tato.

Muito indicado é o elixir de quartzo verde, que pode de forma elegante fazer parte de águas saborizadas com folhas de chá verde, rodelas de limão e flor capuchinha.

Citrino: é a pedra da alegria, do contentamento. Sua frequência vibracional estimula a liberação de endorfinas e serotoninas, levando a uma reação instantânea de entusiasmo e sensação de leveza.

É o quartzo ligado ao plexo solar, por sua coloração entre dourado-claro e amarelo-intenso. Sua frequência vibra num raio energético semelhante ao Sol, proporcionando calor, conforto e energia vital.

Esse quartzo está sintonizado com a força criativa e poderosa da abundância, atraindo riquezas e realização de sonhos e metas materiais com muita fluidez. Mesmo nesse momento de vida de aposentados, tudo é possível quando utilizamos o citrino com fé e entrega rumo à concretização de nossas visualizações.

Sugiro ter uma muda de alecrim dentro de casa ou no jardim, tendo, assim, a possibilidade de fazer um energético chá com seus ramos, estimulando a formação dos hormônios da alegria, potencializando a alegria e confiança. Ainda durante as mentalizações, sugiro espargir o aroma de jasmim, baunilha e canela no ambiente, proporcionando um maior aporte de energia vital, contentamento e entusiasmo.

Turmalina: é uma pedra multidimensional, capaz de atuar no aspecto mais elevado da mente, realizando uma sintonia conectiva natural com o espírito. Pode ser utilizada por idosos já mais iniciados para estabelecer conexões com a quarta, a quinta e as demais dimensões, bem como conduzir a jornadas interiores, em direção ao santuário do eu superior dentro de cada um de nós. Por ser uma pedra muito intensa, eleva a vibração no entorno, criando um campo facilitador no caminho da evolução espiritual.

As turmalinas existem em suas mais diversas colorações – negra, rosa, verde, multicoloridas, seja em forma de bastões, engastadas em uma joia de poder –, e vêm surgindo cada vez mais neste milênio, pois têm o propósito de ancorar e transmitir energias de alegria, força, paz e compaixão.

Muito adotada pelos idosos como um escudo protetor, e por se tratar de uma das pedras com vibrações mais completas neste momento planetário, auxilia no alinhamento dos corpos sutis ao corpo físico, potencializando a harmonia entre as energias cósmicas e materiais. As turmalinas verdes são um excelente estimulante de rejuvenescimento, ativando a regeneração das células e DNA.

Muitos vêm afirmando que é a pedra que veio para ajudar na nossa transição para a Era de Aquário, auxiliando a todos nessa passagem para outras dimensões. Os bastões de turmalina não são escolhidos, eles são conduzidos para a pessoa certa na hora certa de começar um processo evolutivo rumo às esferas superiores, com auxílio canalizado por meio desses bastões interdimensionais.

A turmalina é uma pedra feminina cuja ação é fortalecida com o uso do chá de artemísia, conhecida como a erva da deusa, e o aroma mais indicado é o óleo essencial de cedro com algumas gotas de vetiver ou de palma rosa.

Olho de Tigre: é uma pedra que vem evoluindo com os períodos planetários, tornando-se poderosa para situações pontuais como: tomar decisões, terminar um ciclo, deixar de procrastinar; é a pedra que leva ao impulso do fazer, do realizar. Muito indicada para idosos que estão no limiar de tomar alguma direção em suas vidas e estão adiando por medo e indecisão. A pedra olho de tigre, se usada com comandos mentais específicos, é incrível, com ação imediata e forte. É uma pedra que serve como um assentador de energias e manifestador no plano físico. Muito indicada para idosos confusos, distraídos e desconcentrados.

Quando usada em meditação, ajuda a focar a mente em intenções e metas a serem atingidas. Levar uma pedra olho de tigre no bolso é como ter as energias de um pôr do sol junto ao corpo.

Um spray aromático que intensifica sua ação é o cravo-da-índia com gotas de manjericão e niaouli (melaleuca), ou ainda óleo essencial de zedoária utilizado em gotas diluídas para tempero em saladas e sopas.

Opala: as opalas, além de sua beleza e luz translúcida refletindo cores do ambiente, são pedras com uma frequência vibracional de tranquilidade e harmonia. Se colocadas no terceiro olho em uma meditação ou em buscas espirituais, proporcionam maior clareza e vidência reveladora através dos canais de luz que essa pedra emana.

As opalas possuem cristais de água em seu interior, por isso são indicadas como pedras equilibradoras das energias descompensadas na circulação venosa, arterial e linfática. Devido a essa sua ação terapêutica, muitos idosos com disfunções cardiovasculares podem usá-las como joia de poder junto ao corpo.

Um chá de espinheira-santa com raiz de salsa e anis-estrelado auxilia no equilíbrio dos líquidos internos. E os óleos essenciais em spray de lima-limão, cipreste e violeta ajudam na limpeza energética do entorno, produzindo calma e tranquilidade com entrega, deixando os líquidos internos fluírem harmonicamente.

Lápis-lazúli: sua intensa cor azul-cobalto com partículas douradas a torna uma pedra de poder bastante procurada. Costumava ser moída e transformada em tintura para pigmentar as vestes de reis e sacerdotes egípcios, por considerarem que essa cor proporcionava maior poder intuitivo e percepção sobre as coisas sobrenaturais.

Entre os idosos, essa pedra é recomendada para purificar, eliminar bloqueios inconscientes e limpar energias estagnadas de culpas, mágoas e situações mal resolvidas do passado. Lápis-lazúli deve ser utilizada como uma joia ou ser colocada embaixo do travesseiro, para permanecer por algum tempo, até que sejam erradicados os motivos emocionais que levaram à adoção dessa pedra.

Em litoterapia, que une a ação de cosméticos com cristais, o pó de lápis-lazúli, junto com o extrato da camomila e o azuleno, pode ser um ótimo auxiliar na redução de rugas e sinais do tempo. Em spray, é recomendado o óleo essencial de lavanda com anis-estrelado e erva-doce.

Obsidiana: os três tipos mais conhecidos são a obsidiana negra, a floco de neve e a apache. São consideradas as "guerreiras da verdade", pois atuam como espelhos que refletem todas as falhas e processos obscuros, medos, inseguranças, ansiedades, enfim, tudo que impede a expressão límpida e pura da alma no corpo. As obsidianas vêm mostrar tudo que deve ser trabalhado e enfrentado, trazendo à luz as verdades ocultas, com vistas à nova forma de ser e agir nesta Era de Aquário, em que a luz e a integridade serão o baluarte de todos os seres.

A obsidiana é indicada para idosos que desejam se aprofundar em seu processo evolutivo e estão dispostos a enfrentar suas sombras para ter caminho livre em sua evolução espiritual. A finalidade dessas pedras consiste em trazer luz àquilo que estiver camuflado na nossa mente consciente. Muitos idosos, numa busca de liberação e libertação, terão que primeiramente enfrentar crenças limitantes, temores ocultos do passado, questões que vinham sendo evitadas por toda uma vida. É preciso estar disposto a retirar os véus da ignorância e dos apegos. Muitas vezes, esse é um processo doloroso, mas ao mesmo tempo libertador. Recomendo o uso dos espelhos de obsidiana com orientação de um psicoterapeuta cristalógrafo experiente.

Durante o processo terapêutico com uma obsidiana, óleo de papiros com gotas de óleo essencial de eucalipto é uma ótima opção. Como chá, sugiro uso de ginkgo biloba, alternando com chá de ginseng, que ajuda a eliminar o sentimento de culpa e de erros do passado, reduzindo a ação do ego, ajudando a partir para uma nova realidade.

São muitas as pedras e cristais que podem auxiliar nessa fase de ser um idoso ativo e longevo em busca de sua espiritualidade. Além dos citados aqui, caso seja de seu interesse, também é válido conhecer e utilizar: pirita, jaspe, pedra do sol, pedra da lua, hematita, magnetita, água-marinha, sodalita, onix, vassoura-de-bruxa, selenita, amazonita, entre inúmeras outras variedades que estão à nossa disposição se doando com muito amor e entrega.

Para complementar esta seção sobre os benefícios dos cristais e das plantas na terceira idade, convido você a ouvir e fazer a meditação guiada disponível por meio do QR Code a seguir. Aponte a câmera do seu celular para escanear a imagem do código ou baixe gratuitamente o aplicativo QR Code Reader.

Conexões intuitivas do idoso com o mundo espiritual

Devemos sempre, como idosos lúcidos, nos questionar sobre o quão despertos estamos mentalmente ao seguirmos uma doutrina ou fé. Até que ponto estamos no controle de nossos pensamentos e emoções? Como temos nos oportunizado expressar nosso lado espiritual em conexão com nosso propósito nesta vida, com liberdade de ser, pensar e acreditar?

Lembre sempre que: Buda não era budista, Jesus não era cristão, Maomé não era mulçumano. Eles eram Mestres que ensinavam o amor, e o amor não é uma religião. Portanto, na busca da evolução espiritual, o que vale é a intuição, as vontades próprias e impulsos vindos do coração – que nunca erram, mas permitem que o amor e a gratidão influenciem suas decisões e ações.

Evolução espiritual nada tem a ver com religião. Esse é um caminho que buscamos a vida toda, indo para fora na busca de um Deus, de uma conexão com o mundo mais sutil. As religiões, na sua essência, conduzem esse processo. Veja bem, não estou dizendo que não é possível chegar a algumas sintonias e conexões dessa forma, mas a evolução espiritual de que estou falando é um caminho solo, interior. Ninguém, nenhuma crença professada nos elevará ao nível do que chamo ter fé, pois ter fé é algo que se busca dentro de nós, não fora. Nossa real conexão com Deus é algo muito íntimo e pessoal.

Sugiro que, nesta linda etapa de envelhecer como idosos ativos e longevos, boa parte do tempo seja dedicada à sua busca pela evolução espiritual, com a participação em grupos focados em uma vida mais espiritualizada. Vale buscar maior acesso a livros, vídeos, filmes, cursos e palestras que despertem a sutileza de um encontro com Deus, com seres de luz, mestres, anjos e arcanjos que podem conduzir esse caminho.

Por vezes, é nessa fase da existência que ocorre o despertar das capacidades de conexão com o mundo sutil, que ao longo da vida estiveram abafadas e embotadas, como a telepatia, a clarividência e a intuição, dentre outras aptidões sensitivas de comunicação naturais a todo ser humano. Essas habilidades fazem parte dos dons de qualquer um de nós, mas, muitas vezes, quando ocorrem, simplesmente são cortadas, abafadas ou confundidas com manifestações de uma espiritualidade religiosa ou pertencentes a alguma crença filosófica, sendo, assim, rejeitadas.

Porém, quando atingimos a maturidade pelo tempo de vida, temos o privilégio de nos permitir desenvolver e acolher essas manifestações e comunicações com o mundo invisível. Por isso, antigamente, as pessoas idosas eram procuradas para consultas sobre o passado, presente e futuro, por terem um poder mais desenvolvido e aguçado.

Nesse sentido, um dos caminhos mais fáceis e simples é o retorno à vida em contato com a natureza, com terapias complementares e holísticas, sempre com vistas ao desenvolvimento espiritual.

Essa procura frequentemente passa também por alguns questionamentos: agora chegou o momento de agir, o que eu, como idoso, posso fazer? Como posso aproveitar melhor essa oportunidade que a vida está me dando para buscar meu crescimento e evolução em conexão com minha alma?

TENHA EM MENTE QUE: O MELHOR MOMENTO É AGORA.

A falta de fé que até então o acompanhou pode ser usada como degrau para perceber e aproveitar a oportunidade de desconstruir crenças limitantes e dúvidas. O caminho agora é se abrir a uma nova forma de acreditar, a uma fé mais livre, leve e verdadeira. Após uma vida toda ouvindo e assimilando crenças, agora o caminho é solo e livre para você ir desconstruindo, desfazendo-se de pontes do passado, seguindo firme em direção à sua evolução espiritual. Entenda que, como a água retirada de um poço simboliza uma fonte ilimitada de força e fé que está lá no fundo, este deve ser o seu caminho agora, ir fundo na busca de sua espiritualidade com fé.

Mas, atenção, pois se continuarmos a trazer as crenças de ontem para as novas buscas do hoje, estaremos novamente repetindo um círculo vicioso do passado e, pior, limitaremos as inúmeras possibilidades de desenvolver uma fé inabalável e verdadeira, que é a nossa meta e propósito.

Alguém um dia afirmou, sobre ter fé, que a aceitação cega é tão perniciosa quanto um ceticismo exagerado. Nenhuma dessas posturas leva à luz e à espiritualidade. Devemos seguir o caminho do meio, como já preconizava Sidarta Gautama Buda. Há toda uma ancestralidade passando informações e conceitos distorcidos sobre a vida espiritual, e, muitas vezes, por acomodação, por falta de questionamentos e buscas mais profundas, vamos deixando as oportunidades de chamados para a luz passarem por nossa vida, sem aproveitá-las.

Uma forma de entrar nesse caminho com objetivo de autoaprimoramento da fé é a postura de entrega ativa, de buscar viver uma experiência de comunicação com Deus, expressando o lado espiritual com simplicidade, ou seja: conversando diretamente com Deus. Tenha certeza de que está falando com o impulso do coração: fale e silencie, ouça o que sua intuição está sinalizando, mas cuidado, saia do comando, Deus falará através do seu coração em conexão com sua alma. E quando tudo isso começar a acontecer com naturalidade em sua vida, sua fé inabalável já estará introjetada em seus pensamentos e ações.

Você pode até se questionar: *O que Deus faria ou como Ele pensaria e agiria no meu lugar?* Esse diálogo nunca mais acaba, e nos tornamos idosos mais coerentes, felizes, ativos e espiritualizados, pois agora abrimos um canal de conexão diretamente com Deus, e Ele tudo pode, e nós somos um canal limpo de luz e vibrações a Seu serviço e missão. Então, não se constranja, converse com Deus, compartilhe com Ele suas dúvidas, decisões e momentos de gratidão. Esse diálogo é incrível e não é ser pretensioso.

> *E você, como está seu momento de despertar para o mundo espiritual? Como estão suas crenças em um ser mais sutil e iluminado? Como avalia sua fé e coragem de ir em frente, sentindo-se amparado e protegido por uma energia superior? Em que realmente acredita e coloca com tranquilidade e entrega sua vida e futuro?*

Vamos juntos, por alguns momentos, silenciar nossa mente tagarela e buscar nos conectar com nosso Deus interior, para ver como estão nossos sentimentos e pensamentos. Sim, porque o caminho para a evolução espiritual passa por uma revisão de como andam nossos sentimentos e emoções. Se temos muitas mágoas que não conseguimos reduzir ou controlar, elas podem tomar conta de nossas emoções, nos tirando do eixo, de nosso equilíbrio e paz interior. Temos também que olhar e controlar nossos pensamentos negativos, destituídos de amor e compaixão. Lembro a sabedoria dos Toltecas, que afirmam: não tire conclusões precipitadas.

Então, convido você para ouvir e fazer a meditação guiada disponível por meio do QR Code a seguir. Aponte a câmera do seu celular para escanear a imagem do código ou baixe gratuitamente o aplicativo QR Code Reader.

Decisões importantes na caminhada evolutiva do idoso

Agora que já existe um maior conhecimento sobre as múltiplas facetas do processo de envelhecer e dos elementos que podem auxiliar você nessa fase, vamos prosseguir com o método de quatro etapas rumo ao despertar, limpando tudo que já não é mais necessário para este seu momento de evolução, para que você possa continuar sua caminhada livre, lúcido e ativo. Vamos lá?

3ª etapa:

Vamos fazer um exercício em que vou ensiná-lo a ouvir e decidir com o coração, e não com a mente. A mente muitas vezes nos engana, mas ouvir o coração não tem erro.

Vou propor algumas situações e você silencia, sente e pergunta ao seu coração, ouvindo a sua intuição, o que lhe vem como real ou o que não lhe serve mais. Seja sincero, vá fundo em suas verdades: Você tem duas opções a cada afirmativa:

Quero muito isso para mim ou **Não quero mais isso para mim**

São 13 afirmações para você ler e sentir o que seu coração manifesta. Seja sincero, pense em você. Agora você é a prioridade.

Leia cada frase sem pressa e reflita: **Sim, eu quero muito isso para mim**; ou **Não, eu não quero mais isso para mim**. Respire fundo, relaxe, pense bem no assunto, ancore novas decisões, e somente depois parta para a outra afirmação.

1. Família sempre foi minha prioridade. Sempre coloquei tudo acima de mim em favor da família.	
Quero muito isso para mim	Não quero mais isso para mim
2. Muitas vezes eu abafei minhas vontades no intuito de agradar aos outros. Tenho essa necessidade.	
Quero muito isso para mim	Não quero mais isso para mim

3. Sou um idoso feliz, leve e saudável. Agora eu sou prioridade.	
Quero muito isso para mim	Não quero mais isso para mim
4. Sou uma pessoa focada, tenho bem definido o que quero para mim.	
Quero muito isso para mim	Não quero mais isso para mim
5. Tenho saúde e energia vital para agora. Mesmo sendo idoso, vou realizar todos os meus sonhos e propósitos.	
Quero muito isso para mim	Não quero mais isso para mim
6. Muitas vezes não consigo me abrir, falar de meus medos. Demonstro ser bem resolvido, mas na verdade tenho muitas angústias que me atormentam.	
Quero muito isso para mim	Não quero mais isso para mim

7. Sei que desapegar deixa a bagagem mais leve. Vou fazer uma lista de coisas que vou deixar ir, me desapegar.	
Quero muito isso para mim	Não quero mais isso para mim
8. Tenho autocontrole; mesmo nos conflitos e situações difíceis conservo minha paz e tranquilidade.	
Quero muito isso para mim	Não quero mais isso para mim
9. Vivo com medo do futuro, temo adoecer e ser um peso para meus familiares. Perco o sono e a alegria pensando nisso.	
Quero muito isso para mim	Não quero mais isso para mim
10. Não me importo com o que os outros pensam a meu respeito. Tenho autoestima alta. Faço o que quero sem me preocupar com a opinião de terceiros.	
Quero muito isso para mim	Não quero mais isso para mim

11. Estou feliz com esta minha fase de idoso, aceito os limites que me são impostos com resignação e entrega.	
Quero muito isso para mim	Não quero mais isso para mim
12. Às vezes, quando estou sozinho, as lembranças me queixam inquieto, sinto remorso, coisas que queria ter mudado, me sinto triste, depressivo.	
Quero muito isso para mim	Não quero mais isso para mim
13. Tenho sonhos e propósitos de vida a realizar, vou cuidar muito de mim para conseguir atingir todos os meus objetivos nesta minha existência, porque eu mereço.	
Quero muito isso para mim	Não quero mais isso para mim

A etapa três pode levar mais tempo para ser desenvolvida, pois são afirmações que envolvem decisões internas. Não tenha pressa! Muitos correm o risco de, ao pensar rapidamente sobre cada frase, perder a oportunidade de aprofundar seus sentimentos e realmente iniciar o caminho evolutivo, ficando, assim, na superficialidade.

4ª etapa:

Até agora, você já passou por uma ampla e profunda autoavaliação em muitas áreas de sua existência. Já foi possível perceber, como idoso, em que estágio de vida você está. Neste momento, você já está pronto para pensar, considerar e falar de como anda seu modo de reagir e contabilizar as perdas e ganhos.

Nesta etapa, serão sete questionamentos com chamada à reflexão. Sugiro que, se puder, vá respondendo por escrito, parando um bom tempo, permitindo visualizar como realmente está sua fase de "vencedor" ou "perdedor". Vamos lá?

1. Bem-estar mental e espiritual: tenho me sentido bem na maioria do tempo? O que perdi? O que tenho feito para recuperar ou ganhar?

_____

_____

_____

_____

2. Saúde e vigor físico: como estou ajustando a minha vida atual? Como tenho me sentido atualmente? Tenho deixado de fazer coisas por esse motivo? O que tenho perdido e o que tenho ganho?

_____

_____

_____

_____

3. Relações interpessoais, com familiares e amigos: o que tem mudado na minha vida atual neste setor? O que perdi? O que ganhei?

_____

_____

_____

_____

4. Desenvolvimento pessoal: o que ainda gostaria de realizar e fazer nesta vida? Quais sonhos e metas quero ter condições de realizar? O que perdi não dá mais, mas o que ainda posso realizar?

_____

_____

_____

5. Atividades recreativas de lazer/hobby: o que tenho realizado que me dá muita alegria e prazer? O que não posso mais realizar? O que ainda posso fazer?

_____

_____

_____

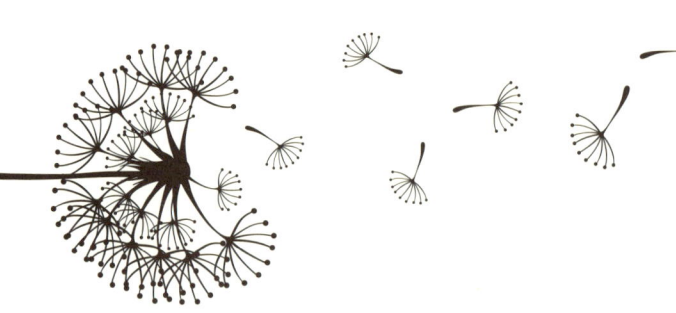

6. Exercícios físicos: o que tenho feito por mim neste sentido? O que perdi? O que posso ainda realizar ou recuperar?

_____
_____
_____
_____

7. Idosos e o romantismo: amar novamente é possível? Como anda minha sexualidade e romantismo? O que perdi? O que ainda posso recuperar e realizar?

_____
_____
_____
_____

Elaborando um plano de ação:

1) Após todo esse levantamento das limitações pessoais físicas, psicológicas, espirituais e crenças limitantes, já tendo listado minhas imensas possibilidades de me reinventar, de recuperar física, mental e espiritualmente o tempo perdido, agora posso focar na reconstrução de ser um novo idoso.

2) Após o término dessas quatro etapas, o levantamento da minha história de vida ficou mais claro e definido, assim como minhas expectativas e perspectivas de futuro. Nesta fase, tenho uma autoconsciência bem mais coerente da minha realidade e do meu processo de envelhecer.

3) Eu começo agora a fase de elaborar projetos de superação pessoal: comigo mesmo, em minha família, na sociedade e no mundo.

4) Projeto Meu futuro feliz, longevo e saudável:

Eu posso:
_____
_____
_____

Eu quero:
_____
_____
_____

Eu consigo:
_____
_____
_____

Eu mereço:
_____
_____
_____

Eu posso!
Eu quero!
Eu consigo!
Eu mereço esta nova oportunidade que a vida está me proporcionando!

LIGIAPOSSER

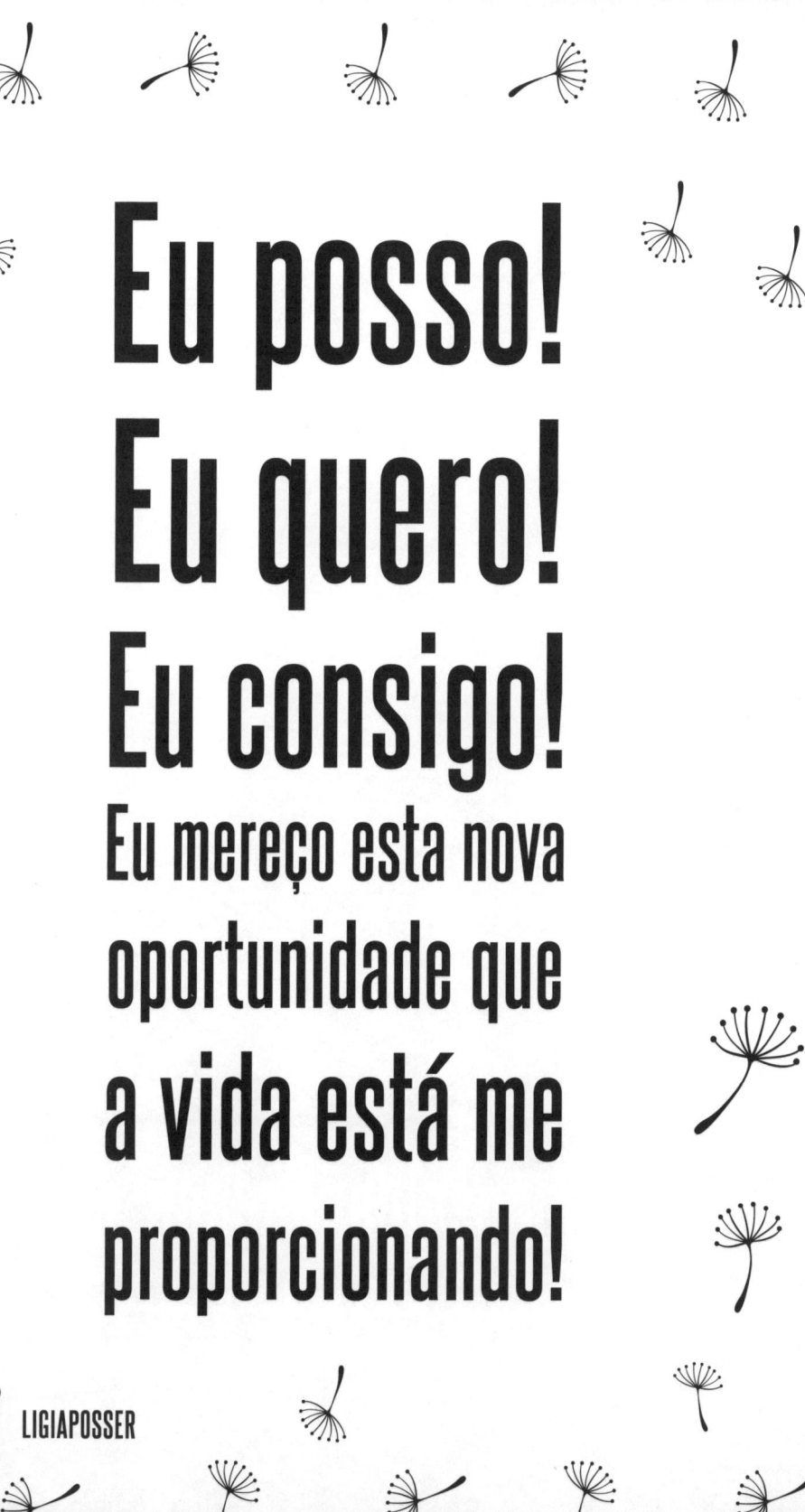

Rumo à longevidade plena, conferindo um novo sentido à sua vida.

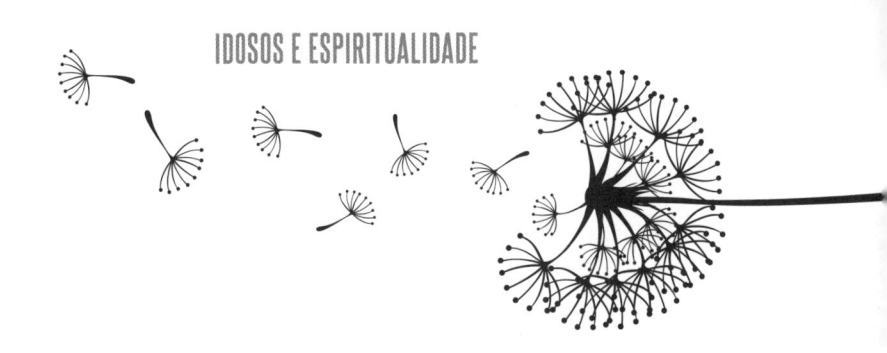

Estamos em um momento planetário de envelhecimento populacional, o que inclui o aumento da expectativa de vida dos idosos longevos, assim denominados por estarem acima dos 80 anos.

Nesse contexto, urge a necessidade de uma nova forma de olhar e viver essa faixa etária, focando na espiritualidade e na saúde integral. Aqueles que já estão alinhados com essa ideia enxergam um sentido de vida mais claro e definido, principalmente por estarem ligados a um Ser Superior. Ou seja, já entenderam que a postura que leva à longevidade é seguir um Caminho Espiritual com fé e entrega – relacionar-se com o sagrado, mas sem necessariamente ligar-se a uma religião –, viver uma nova experiência com o mundo sutil e conferir novo significado para a vida neste seu momento existencial.

Como muito bem coloca Jung[1], "A velhice deve ser marcada por uma atenção específica e uma valorização, por parte do ser humano, do que está dentro de si, buscando, assim, um propósito para a vida."

Esse voltar-se para dentro com vontade de dar um significado para sua existência abre caminhos para as buscas espirituais. Nessa jornada, não apenas os próprios idosos, mas também os profissionais envolvidos com eles terão de repensar e ressignificar posturas e formas de trabalhar com o envelhecer, agora focados na saúde, alegria e leveza. É necessário, portanto, repensar todos os aspectos que fundamentam a existência de uma alma em um corpo físico-biológico.

---

[1] Citação retirada de: NUNES, Marília Gabrielle Santos et al. Idosos longevos: avaliação da qualidade de vida no domínio da espiritualidade, da religiosidade e de crenças pessoais. **Saúde debate**, Rio de Janeiro, v. 41, n. 115, p. 1102-1115, dez. 2017. Disponível em <http://www.scielo.br/scielo.php?script=sci_arttext&pid=S0103-11042017000401102&lng=pt&nrm=iso>.

E é neste cenário que se encontra este livro. Por meio dele, espero ter ajudado você, querido leitor, a repensar seriamente as suas possibilidades de longevidade, objetivando ser um idoso feliz, ativo e lúcido. Desejo que eu possa ter contribuído para que sua existência seja plena e saudável em todas as áreas, com independência cognitiva e prosperidade. Que você possa preencher seu cotidiano participando socialmente da família e da comunidade, e que atinja um estado de envelhecimento bem-sucedido.

Almejo que, com esta obra, eu tenha de alguma forma tocado seu coração, proporcionando momentos de maior proximidade entre sua alma e essência com sua missão de vida, encorajando-o a viver sua longevidade com alegria e plenitude.

OUTRAS PUBLICAÇÕES

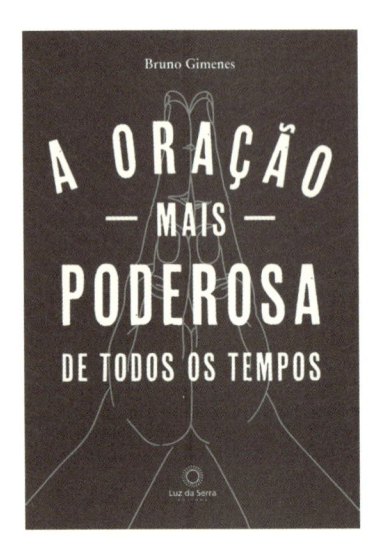

Luz da Serra®
EDITORA

A Oração mais Poderosa de todos os Tempos
Bruno Gimenes

Como seria se você encontrasse sua missão, aumentasse sua prosperidade e conseguisse equilibrar seus relacionamentos? Imagine melhorar toda a sua vida por meio de uma oração. Sim, tudo isso é possível, pois a oração revelada neste livro vai colocá-lo na vibração certa, criando um circuito de forças capaz de mudar qualquer situação. Pode parecer difícil demais, mas é perfeitamente possível, independente da sua religião ou do caminho espiritual que você tenha escolhido.

Páginas: 168
Formato: 16x23cm
ISBN: 9788564463837

As Meditações mais Poderosas de todos os Tempos
Amanda Dreher

Você já pensou em ter acesso às meditações mais poderosas de todos os tempos, que já foram testadas e aprovadas por milhares de pessoas? É exatamente isso que Amanda Dreher traz para você neste diário de acompanhamento das suas práticas meditativas. Trata-se de uma verdadeira jornada de autoconhecimento, capaz de gerar resultados de forma simples, prática e muito rápida, bastando alguns minutos por dia para alcançar benefícios extraordinários em sua vida.

Paginas: 224
Formato: 16x23
ISBN: 978856446394-3

Manifesto da Autoestima
Patrícia Cândido

Os outros querem que você emagreça, que trabalhe em um lugar que não gosta, que permaneça em um relacionamento tóxico, que se torne uma pessoa que não é? Saiba que você não está só! Este livro apresenta ferramentas que vão lhe ajudar a "colar todos os caquinhos que se quebraram". Patrícia Cândido traz exercícios e práticas poderosas para você se tornar a pessoa que nasceu para ser, e não o que os outros querem que você seja. Assim, você poderá conquistar mais autoestima, segurança e confiança, para assumir as rédeas da própria vida e encontrar a felicidade.

Páginas: 296
Formato: 16x23cm
ISBN: 978-65-88484005

Cuide-se
Cátia Bazzan

Para você é mais fácil se doar do que receber? Você se preocupa tanto com os outros que chega a assumir responsabilidades que não são suas? Neste livro, você vai descobrir a importância de se cuidar em primeiro lugar para depois conseguir ajudar as pessoas de forma equilibrada, sem se sobrecarregar. Cátia Bazzan compartilha lições poderosas que vão gerar um impacto positivo na sua realidade e, por consequência, na vida das pessoas que você ama. A autora também indica ações essenciais para você ativar os seus potenciais, viver pelo seu propósito e, então, ajudar as pessoas do seu lugar, de forma leve e fluida. Você entenderá que, ao estar alinhado e bem consigo mesmo, conseguirá contribuir muito mais.

Paginas: 200
Formato: 16x23
ISBN: 9788564463714

Transformação pessoal, crescimento contínuo, aprendizado com equilíbrio e consciência elevada.

Essas palavras fazem sentido para você?

Se você busca a sua evolução espiritual, acesse os nossos sites e redes sociais:

iniciados.com.br
luzdaserra.com.br
loja.luzdaserraeditora.com.br

luzdaserraonline
editoraluzdaserra

luzdaserraeditora

luzdaserra

Avenida 15 de Novembro, 785 – Centro
Nova Petrópolis / RS – CEP 95150-000
Fone: (54) 3281-4399 / (54) 99113-7657
E-mail: loja@luzdaserra.com.br

Luz da Serra®
EDITORA